KU-102-923

PETITS CLASSIQUES

LAROUSSE

Collection fondée par Félix Guirand, Agrégé des Lettres

Britannicus

RACINE

tragédie

Édition présentée,
annotée et commentée
par
Gilles GUILLERON
Agrégé de Lettres modernes

SOMMAIRE

Avant d'aborder le texte

Britannicus
RACINE

Comment lire l'œuvre

Avant d'aborder le texte

Néron *(art français du XVIIe siècle), d'après un buste romain, musée du Louvre.*

Britannicus

Genre : théâtre, tragédie en cinq actes écrite en alexandrins.

Auteur : Jean Racine (1639-1699).

Source : les *Annales* de Tacite, historien latin du Iᵉʳ siècle, constituent la principale source de Racine pour l'élaboration de *Britannicus* ; même s'il a modifié certains faits de l'histoire de Rome (par exemple Narcisse est mort quand débute l'action), Racine signale avec insistance cette référence dans la première puis la seconde préface de *Britannicus* : « *À la vérité j'avais travaillé sur des modèles qui m'avaient extrêmement soutenu dans la peinture que je voulais faire d'après le plus grand peintre de l'Antiquité, je veux dire d'après Tacite.* »

Principaux personnages : Néron, Britannicus, Agrippine, Junie, Burrhus, Narcisse. À l'exception de Junie, création littéraire de Racine, tous les autres personnages sont historiques et ont vécu au moment du règne de l'empereur Néron, de l'an 54 à l'an 68.

Sujet : l'empereur Néron règne depuis un an grâce aux intrigues de sa mère, Agrippine ; celle-ci constate avec inquiétude que son fils, en tentant d'échapper à sa tutelle étouffante, révèle progressivement sa nature monstrueuse sous l'influence perfide de Narcisse, le gouverneur de Britannicus. Néron semble hésiter un instant à sombrer dans la monstruosité mais finalement bascule dans les excès de cruauté de ses prédécesseurs (Tibère, Caligula) : il fait enlever Junie, la fiancée de Britannicus, et empoisonne ce dernier.

Première représentation : elle eut lieu le 13 décembre 1669 à Paris sur le théâtre de l'Hôtel de Bourgogne ; l'accueil fut mitigé en raison d'une cabale montée par les partisans du théâtre de Corneille.

JEAN RACINE
(1639-1699)

L'éducation janséniste d'un orphelin : 1639-1659

1639

Jean Racine naît en décembre 1639 à La Ferté-Milon dans une famille modeste. Sa mère meurt en janvier 1641 et son père disparaît deux ans plus tard. Orphelin à l'âge de quatre ans, il est recueilli par sa grand-mère paternelle, Marie Desmoulins, femme pieuse convertie au jansénisme, prôné à l'abbaye de Port-Royal des Champs.

1649

L'éducation du jeune Racine débute donc aux petites écoles de Port-Royal ; l'enseignement est assuré par des religieuses et des intellectuels chrétiens qui répandent avec enthousiasme la doctrine janséniste : ce courant philosophique et religieux de Cornelius Jansen, dit Jansénius, évêque d'Ypres (1585-1638), a fait son apparition dans un livre posthume, l'*Augustinus* (1640). Le jansénisme met en doute le libre arbitre de l'homme, le salut étant accordé arbitrairement par Dieu, sans que le mérite de l'homme intervienne.

1653

Les attaques contre le jansénisme, menées par le pouvoir royal et l'Église, contraignent Racine à quitter Port-Royal pour le collège de Beauvais où il acquerra pendant deux ans une solide culture grecque et latine.

1655-1658

De retour à Port-Royal, Racine approfondit auprès de maîtres éminents (Lancelot, Lemaître, Nicole) sa connaissance des écritures saintes et des grands tragiques grecs (Sophocle, Euripide). Ce second passage chez les jansénistes influencera sa vision de l'homme victime de ses passions et nourrira son inspiration dramatique.

À la fermeture des écoles, il vient achever sa philosophie au collège d'Harcourt, à Paris.

Rupture avec Port-Royal et débuts littéraires : 1659-1666

1660

À Paris, son cousin Nicolas Vitard l'héberge à l'hôtel de Luynes dont il est l'intendant ; Racine mène alors une vie mondaine, rencontre Jean de La Fontaine (1621-1695), fréquente les troupes de théâtre de l'Hôtel de Bourgogne et du Marais. Déjà, il songe à faire une carrière littéraire : il saisit l'occasion du mariage de Louis XIV avec l'infante d'Espagne Marie-Thérèse pour écrire une ode dédiée à la reine, *La Nymphe de la Seine*. Celle-ci est remarquée par un personnage influent du monde des lettres, l'académicien Chapelain (1595-1674).

1661

Ce succès d'estime l'encourage à écrire une tragédie, *Amasie*, mais celle-ci ne sera pas jouée. Accédant sans doute aux sollicitations pressantes de Port-Royal, Racine quitte Paris en septembre 1661 et s'installe pendant deux ans à Uzès où il compte obtenir une charge ecclésiastique auprès de son oncle. En fait, ce séjour en province le conforte dans sa volonté de devenir écrivain et marque le début de son affranchissement d'avec Port-Royal.

1663

Racine revient à Paris au début de l'année. Une rougeole de Louis XIV lui donne l'occasion d'écrire une *Ode sur la convalescence du roi*. Son poème est remarqué et on lui promet une gratification royale, mais, cette dernière tardant à venir, Racine écrit un troisième poème d'éloges au roi, *La Renommée des Muses*, et se rappelle ainsi aux bons soins de Chapelain qui l'inscrit sur la première liste régulière de « Gratifications aux savants et hommes de lettres français et étrangers ». Sa carrière de poète courtisan est lancée.

1664-1665

Le 20 juin 1664, la troupe de Molière au Palais-Royal joue la tragédie de Racine, *La Thébaïde* ; si la pièce ne recueille pas les suffrages du public, le duc de Saint-Aignan, grand seigneur et académicien, l'apprécie et apporte son soutien au dramaturge débutant. Le 4 décembre 1665, le Palais-Royal présente avec succès la nouvelle pièce de Racine, *Alexandre le Grand*. Mais dès la sixième représentation, la troupe rivale de l'Hôtel de Bourgogne joue également la pièce. Par ce procédé qui brise une tradition, Racine révèle brutalement son ambition en donnant son œuvre à jouer au théâtre parisien qui représente le sommet de la hiérarchie théâtrale.

La fin de l'année 1665 et le début de l'année suivante marquent la rupture avec Port-Royal : en réponse à une lettre de Nicole, la *Première Visionnaire*, qui considère le « poète de théâtre » comme « un empoisonneur public », Racine, se sentant visé, réplique avec éclat dans sa *Lettre à l'auteur des « Hérésies imaginaires » et des deux « Visionnaires »*. Il refuse le débat moral sur le théâtre et s'intéresse au rang du poète dans la société. C'est sa carrière naissante et à venir qu'il défend.

Le début des grands succès : 1667-1669
1667

Cette réussite tant voulue, Racine l'obtient avec le triomphe de sa nouvelle tragédie *Andromaque* jouée le 17 novembre devant Louis XIV et la reine. L'héroïne est incarnée par une comédienne de renom, la Du Parc, que Racine a épousée secrètement.

1668

Consacré comme un grand auteur tragique, Racine traverse des moments difficiles à la fin de l'année 1668 : c'est d'abord l'échec relatif de l'unique comédie qu'il écrira, *Les Plaideurs* (la pièce boudée dans un premier temps par la critique et le public est cependant bien accueillie à Versailles) ; mais c'est surtout la mort dans des circonstances obscures de la Du Parc. Onze années plus tard, au cours de l'instruction du procès de la célèbre empoisonneuse, La Voisin, celle-ci accusera Racine d'être un voleur et un assassin, mais l'affaire restera sans suite.

1669

Racine revient définitivement au genre tragique avec *Britannicus*, joué pour la première fois le 13 décembre 1669. La présence hostile de Corneille à cette représentation et une cabale montée par des critiques favorables à Corneille font que la pièce reçoit un accueil mitigé. Aux partisans de Corneille qui lui reprochent l'utilisation d'épisodes de l'histoire romaine dont tout le monde s'est déjà servi, Racine répond immédiatement et avec force dans la préface qui accompagne la publication de *Britannicus* en janvier 1670 et marque nettement ses distances avec l'esthétique cornélienne.

Les années de gloire : 1670-1677

1670

Le 21 novembre 1670, avec la représentation de sa tragédie *Bérénice*, dédiée à « *Monseigneur Colbert* », Racine prend l'avantage sur Corneille qui fait jouer son *Tite et Bérénice* une semaine plus tard ; se retrouvant sur un même sujet de l'histoire romaine, la pièce de Racine remporte les suffrages du public. À la publication de son œuvre, le dramaturge définit avec virulence l'originalité de son art et précise avec mordant à son rival que la « *principale règle est de plaire et de toucher* ».

1672

Attentif à l'engouement pour l'Orient (une ambassade turque a été reçue par Louis XIV en 1670) et à la concurrence de Molière qui a remporté un franc succès avec sa comédie-ballet *Le Bourgeois gentilhomme* le 14 octobre 1670 devant la cour, Racine s'impose à nouveau avec sa nouvelle tragédie turque *Bajazet* le 5 janvier 1672.

1673

Cette année débute par le nouveau succès de sa tragédie *Mithridate* jouée à l'Hôtel de Bourgogne. Reçu à l'Académie française le 12 janvier 1673, Racine accède enfin à la consécration qu'il a tant recherchée : protégé de Chapelain, de Colbert et du roi lui-même, Racine est devenu un auteur de premier plan à qui la représentation de ses pièces et les multiples gratifications royales assurent une éclatante réussite matérielle.

1674

Cette position est confortée par l'obtention de la charge de trésorier de France à Moulins, qui lui confère des privilèges nobiliaires. La mort de Molière (17 février 1673), le déclin de Corneille lui laissent le champ libre, et sa nouvelle tragédie *Iphigénie* (18 août 1674, première représentation à Versailles) fait un triomphe.

1677

Après une interruption de deux ans et demi consacrée à sa carrière mondaine et à la publication de ses œuvres, Racine revient à la tragédie avec *Phèdre* (première représentation le vendredi 1er janvier 1677). Mais un jeune auteur dramatique, Pradon, tenant Racine pour responsable de l'échec d'une de ses pièces, organise une cabale et donne une *Phèdre* concurrente. Un échange de sonnets calomniateurs envenime la querelle et occulte un temps la pièce de Racine. Finalement, soutenue avec vigueur par Boileau, la tragédie de Racine s'impose ; mais cette affaire éloigne Racine du théâtre. Il se marie le 1er juin et est nommé le 11 septembre, avec Boileau, historiographe de Louis XIV. À trente-sept ans, Racine semble renoncer au théâtre pour mettre sa plume au service de l'histoire royale (d'autant que la mode de l'opéra supplante peu à peu celle de la tragédie).

1678-1688 : le silence du dramaturge

Réconcilié avec Port-Royal, Racine consacre son temps à son travail d'historiographe et multiplie les éloges au roi. Il entretient aussi des relations amicales avec Mme Scarron, la future Mme de Maintenon, épouse du roi.

1689-1691 : deux œuvres édifiantes

C'est à la demande de celle-ci qu'il renoue avec le théâtre en écrivant deux pièces d'inspiration biblique qui seront jouées par les demoiselles du pensionnat de Saint-Cyr : *Esther* (représentée le 26 janvier 1689) et *Athalie* (jouée en répétition devant le roi le 5 janvier 1691). Pour certains, ces œuvres religieuses soulignent l'aptitude de Racine à s'adapter à l'atmosphère de dévotion qui règne alors à Versailles ; pour d'autres, elles marquent le retour du dramaturge vers Port-Royal.

1692-1699

Devenu « gentilhomme ordinaire du roi » en 1690, il s'emploie à obtenir la transmission de sa charge à son fils aîné Jean-Baptiste, en 1693 ; il passe d'ailleurs les dernières années de sa vie à s'occuper de l'avenir matériel de ses deux fils et de ses cinq filles.

À partir de 1697, Racine s'éloigne de la cour. Il travaille en secret à un *Abrégé de l'histoire de Port-Royal* (date exacte inconnue). Il meurt le 21 avril 1699 et, selon ses vœux, est inhumé à Port-Royal.

Le cadre historique

En France, une grande instabilité politique et religieuse marque la première moitié du XVIIe siècle, et cela malgré les prémices d'un nouvel ordre incarné notamment par l'action du cardinal de Richelieu qui, sous Louis XIII, organise la centralisation du pouvoir et fait reculer les prérogatives du système féodal. La régence d'Anne d'Autriche, appuyée par le cardinal Mazarin, amplifie nettement le mouvement d'unification amorcé ; de ce point de vue, la révolte de la Fronde (1648-1653), réprimée de manière sanglante, représente l'ultime sursaut de l'aristocratie face à la volonté royale. Dès lors, une monarchie de droit divin, c'est-à-dire avec un roi qui ne rend des comptes qu'à sa conscience et à Dieu, régit toute la société française et s'incarne d'une manière éclatante dès le début du règne personnel de Louis XIV en 1661, ouvrant une période dominée par sa volonté de contrôle et d'ordre.

Celui-ci construit méthodiquement son pouvoir absolu : il circonscrit les velléités des nobles en leur confiant des charges militaires (les nombreux conflits, guerre contre l'Espagne, guerre de Hollande, permettent aisément de canaliser la tradition guerrière de l'aristocratie), en les concentrant à la cour de Versailles, en leur attribuant des charges honorifiques. Par ailleurs, il donne à la bourgeoisie un rôle économique de premier plan (Colbert sera son ministre le plus influent) ; quant au peuple, il reste entièrement assujetti à l'autorité royale et connaît des conditions de vie pénibles aggravées par les guerres à répétition, le coût des grands travaux (le château de Versailles) et le train de vie fastueux de la Cour.

Le cadre culturel et littéraire

Après les profondes mutations de la Renaissance apportées par les découvertes de civilisations inconnues, les contributions de Copernic, Galilée et Kepler à la connaissance de la Terre et des lois physiques de l'univers et la remise en cause des croyances religieuses, les guerres sanglantes qui ont opposé les catholiques et les protestants, le début du XVIIe siècle apparaît comme une période de bilan où domine le besoin de liberté. Ainsi, dans le domaine littéraire, le premier tiers du siècle est marqué par une tendance baroque caractérisée par le mouvement, l'excès, l'instabilité et un certain raffinement qui s'exprimera dans le courant précieux. Mais la volonté politique de contrôle et d'ordre, qui se manifeste notamment avec la création de l'Académie française (1635) par Richelieu, s'impose peu à peu, et si les salons littéraires (hôtel de Rambouillet, salon de Mlle de Scudéry) restent des lieux d'agitation intellectuelle jusque vers les années 1660 avant d'être supplantés par la cour de Louis XIV, un fort mouvement normatif se met en place. Des écrivains et des théoriciens comme Vaugelas, Boileau, Mairet, l'abbé d'Aubignac édictent des règles, fixent les usages dans la langue et les genres littéraires.

Sur le plan moral, Descartes met en avant la primauté de la raison et la nécessité d'un ordre social (*Discours de la méthode*, 1637) ; sur le plan religieux, à côté d'une doctrine théologique dominante et conciliante (le jésuitisme) se développe la vision janséniste plus austère et plus pessimiste que Pascal défend avec vigueur (*Provinciales*, 1656-1657) et qui marquera profondément l'œuvre de Racine, même si ce dernier s'éloigne un temps de ses maîtres de Port-Royal.

C'est à travers ce courant normatif et ces réflexions humanistes et métaphysiques que naissent les grandes œuvres littéraires du XVIIe siècle. Le règne personnel de Louis XIV, qui débute réellement en 1661, favorise ce cadre en ménageant le génie créatif même lorsque celui-ci échappe parfois à la norme (*Le Tartuffe* et *Dom Juan* de Molière) ou porte un regard critique sur la société (les *Fables* de La Fontaine, les *Caractères* de La Bruyère).

En fait, Louis XIV a compris tout l'intérêt que représentait pour l'édification de sa gloire personnelle et de sa postérité un réel essor des arts. Ainsi, il organise un véritable culte de sa personne (le « Roi-Soleil ») en s'assurant notamment la mainmise sur les arts aptes à célébrer sa gloire personnelle.

Son goût pour le faste se concrétise dans le domaine architectural avec notamment l'édification de la colonnade du Louvre par Claude Perrault et avec l'agrandissement du monumental château de Versailles par Le Vau et Hardouin-Mansart, ce palais devenant emblème du pouvoir monarchique et lieu d'expression artistique : Charles Le Brun décore la voûte de la galerie des Glaces, le sculpteur Antoine Coysevox travaille à la décoration et réalise un buste de Louis XIV tandis que le peintre Nicolas Mignard devient portraitiste du roi et de la cour.

Quant au théâtre, manifestation publique et ritualisée, il convient parfaitement à ce souci de gloire et de pompe du pouvoir royal d'autant qu'il trouve avec le genre tragique, expression dramatique des conflits, une représentation esthétique conforme à ses goûts d'ordre et aux leçons d'édification qu'il entend donner à la cour (et ce, malgré une condamnation au nom des valeurs religieuses : l'Église excommunie les comédiens, et les jansénistes de Port-Royal dénoncent ces « grands divertissements (…) dangereux pour la vie chrétienne », *Pensées*, Pascal, 1669).

Le théâtre tragique au XVIIᵉ siècle

Au début de l'année 1637, le triomphe du *Cid*, la pièce de Corneille, marque l'apogée de la tragi-comédie et du courant baroque qui ont dominé le premier tiers du XVIIᵉ siècle. Mais l'orthodoxie, qui cherche à s'imposer sur le plan politique, se manifeste déjà dans le domaine littéraire avec le retour en force des règles dramatiques sous l'impulsion de dramaturges et de théoriciens : Mairet, dans la préface de sa pièce *Sylvanire* (1631), recommande d'observer « les règles plus religieusement que nous n'avons point fait jusqu'ici » ; en 1657, l'abbé d'Aubignac rappelle dans *La Pratique du théâtre* qu'il « n'y a donc que le vraisemblable qui puisse raisonnablement fonder, soutenir et terminer un poème dramatique ».

Ce principe, inspiré principalement de textes anciens comme la *Poétique* d'Aristote, induit un respect de la bienséance et des unités de temps, d'action et de lieu ; il constituera une des principales divergences entre Corneille et Racine : le premier conçoit l'inspiration de la tragédie dans « les grands sujets qui remuent fortement les passions, et en opposent l'impétuosité aux lois du devoir et aux tendresses du sang », et « doivent toujours aller au-delà du vraisemblable », (*Discours et examens*, 1660), tandis que le second, plus à l'aise dans ces contraintes formelles, refuse le spectaculaire de l'esthétique cornélienne en affirmant qu'il « n'y a que le vraisemblable qui touche dans la tragédie » et que parmi les règles du genre « la principale est de plaire et de toucher », (préface de *Bérénice*, 1670).

Mais au-delà de la concurrence entre un dramaturge vieillissant et un jeune auteur ambitieux, et au-delà des controverses formelles, c'est davantage deux conceptions de l'homme qui s'affrontent : pour Corneille, l'homme est maître de son destin et peut par son action résoudre ses problèmes et les conflits ; à cette morale optimiste illustrée par de nombreuses pièces (*Le Cid*, 1637 ; *Horace*, *Cinna*, 1642 ; *Polyeucte*, 1643) s'oppose la vision pessimiste de Racine dont les héros, essentiellement gouvernés par leurs passions, sont prisonniers d'une fatalité d'origine divine ou héréditaire contre laquelle ils luttent en vain : ainsi, Oreste admet d'emblée l'impasse de son amour pour Hermione mais ne renonce pas (*Andromaque*, 1667), tout comme Phèdre qui éprouve une passion coupable et meurtrière pour son beau-fils Hippolite (*Phèdre*, 1677).

Britannicus dans l'œuvre racinienne

Avec *Britannicus*, le dramaturge applique les principes qui régiront ses grandes tragédies jusqu'à *Phèdre* (1677) : la représentation d'une situation proche de son dénouement (ce qui permet le respect de la règle des trois unités), une action simple (la prise du pouvoir par Néron, « *monstre naissant* ») autorisant ainsi l'étude et l'exposition de la complexité du moi humain, et une extrême stylisation du discours associée à une variété des tonalités (lyrique, pathétique, tragique) traduisant le souci de privilégier la dimension poétique et esthétique.

Vie	Œuvres
1639 Naissance à La Ferté-Milon.	
1641 Mort de sa mère.	
1643 Mort de son père. Il est recueilli par sa grand-mère paternelle Marie Desmoulins.	
1649 Entre aux petites écoles de Port-Royal influencées par le jansénisme.	
1653 Quitte Port-Royal et poursuit ses études pendant deux ans au collège de Beauvais. **1655** Retour à Port-Royal où il suit l'enseignement de maîtres éminents.	
1658 Fermeture de Port-Royal ; il achève ses études de philosophie au collège d'Harcourt à Paris.	
1660 Vie mondaine à Paris ; il rencontre Jean de La Fontaine. Débuts littéraires : il écrit une ode en l'honneur du mariage du roi. **1661** Il séjourne deux ans à Uzès dans l'espoir d'obtenir une charge ecclésiastique.	**1660** *La Nymphe de la Seine.* **1661** Une tragédie, *Amasie.*

ÉVÉNEMENTS CULTURELS ET ARTISTIQUES	ÉVÉNEMENTS HISTORIQUES ET POLITIQUES
	1638 Naissance de Louis XIV.
1640 Publication posthume de l'*Augustinus* de Jansénius ; diffusion du jansénisme. Corneille, *Horace* et *Cinna*.	
1642 Corneille, *Polyeucte*.	**1642** Mort de Richelieu. **1643** Mort de Louis XIII. Régence d'Anne d'Autriche. Début du ministère de Mazarin.
1647 Vaugelas, *Remarques sur la langue française*.	**1648** Début de la Fronde parlementaire (jusqu'à mars 1649).
1649 Descartes, *Traité des passions*. **1650** Mort de Descartes. **1651** Scarron, *Le Roman comique*. **1653** Condamnation papale du jansénisme.	**1650** Début de la Fronde des princes (jusqu'à octobre 1652).
1656 Pascal commence la rédaction des *Provinciales*.	
1659 Molière, *Les Précieuses ridicules*.	**1659** Traité des Pyrénées ; fin de la guerre contre l'Espagne. **1660** Mariage de Louis XIV.
	1661 Mort de Mazarin et début du règne personnel de Louis XIV. Arrestation de Fouquet. Colbert devient ministre.

Vie	Œuvres
1663 Retour à Paris. Il écrit deux poèmes remarqués et obtient une gratification.	**1663** *Ode sur la convalescence du roi.* *La Renommée des Muses.* **1664** Le 20 juin, la troupe de Molière joue au Palais-Royal la tragédie *La Thébaïde.*
1665 Liaison avec la comédienne Thérèse Du Parc. Rupture avec Port-Royal qui condamne le théâtre.	**1665** *Alexandre le Grand.*
	1667 Triomphe avec *Andromaque.*
1668 Succès au théâtre mais mort de la Du Parc qu'il a épousée secrètement.	**1668** Unique comédie *Les Plaideurs.*
1669 Début de la polémique avec Corneille. **1670** Liaison avec la comédienne la Champmeslé.	**1669** *Britannicus* ; cabale montée par les partisans de Corneille. **1670** Succès de *Bérénice* qui éclipse la pièce concurrente de Corneille *Tite et Bérénice.* **1672** Nouveau succès avec *Bajazet.*
1673 Auteur dramatique consacré ; réussite matérielle et entrée à l'Académie française **1674** Il obtient la charge de trésorier de France à Moulins. Se lie d'amitié avec Boileau. **1677** Mariage le 1ᵉʳ juin avec Catherine de Romanet. Le 11 septembre, il est nommé, avec Boileau, historiographe du roi. **1678** Il cesse d'écrire pour le théâtre et se consacre à son travail d'historiographe. Début de la réconciliation avec Port-Royal. Vie de piété.	**1673** *Mithridate.* **1674** Triomphe d'*Iphigénie.* **1677** *Phèdre*, dernière grande tragédie.

ÉVÉNEMENTS CULTURELS ET ARTISTIQUES	ÉVÉNEMENTS HISTORIQUES ET POLITIQUES
1662 Mort de Pascal. Début des travaux d'agrandissement de Versailles.	
1664 Molière, *Le Tartuffe*. La Rochefoucauld, *Maximes*.	**1664** Persécutions contre les jansénistes : établissement d'un formulaire antijanséniste.
1665 Molière, *Dom Juan*.	
	1667 Guerre contre l'Espagne (jusqu'à 1668).
1668 La Fontaine, *Fables* (livres I à VI).	
1670 Édition posthume des *Pensées* de Pascal. Construction de l'hôtel des Invalides à Paris.	
	1672 Guerre contre la Hollande (jusqu'à 1678).
1673 Mort de Molière. Premier opéra de Lulli et Quinault, *Cadmus et Hermione*.	
1674 Boileau, *L'Art poétique*.	
1678 La Fontaine, *Fables* (livres VII-XI) ; Mme de La Fayette, *La Princesse de Clèves*.	

Vie	Œuvres
	1685 *Idylle sur la paix*, avec une musique de Lulli.
1689 À la demande de Mme de Maintenon écrit de nouveau pour le théâtre. **1690** Nommé « gentilhomme ordinaire du roi ». Se consacre à ses sept enfants. **1691** Écrit une dernière fois pour le théâtre.	**1689** *Esther*. **1691** *Athalie*, tragédie répétée devant le roi par les demoiselles du pensionnat de Saint-Cyr. **1694** Rédaction secrète de l'*Abrégé de l'histoire de Port-Royal*.
1699 Il meurt le 21 avril et est inhumé à Port-Royal.	

ÉVÉNEMENTS CULTURELS ET ARTISTIQUES	ÉVÉNEMENTS HISTORIQUES ET POLITIQUES
	1679 Affaire des poisons.
1680 Création le 18 août de la Comédie-Française.	
	1682 La Cour s'installe à Versailles.
	1683 Mariage secret de Louis XIV avec Mme de Maintenon.
1684 Mort de Corneille le 1er octobre.	**1685** Révocation de l'édit de Nantes.
1687 Querelle des Anciens et des Modernes.	
1688 La Bruyère, *Les Caractères*.	**1688** Guerre de la Ligue d'Augsbourg.
1690 Furetière, *Dictionnaire*.	
1694 L'Académie française publie son *Dictionnaire*.	
1695 Début de la querelle du quiétisme.	
	1697 Paix de Ryswick.
1699 Fénelon, *Les Aventures de Télémaque*.	

La confirmation d'une vocation d'écrivain tragique

Après le triomphe de sa tragédie *Andromaque* dont même Charles Perrault, qui n'appréciait guère l'auteur, affirma qu'elle « fit le même bruit, à peu près, que *Le Cid* », Racine, qui cherche à concurrencer Molière et sa troupe du Palais-Royal, écrit pour les comédiens de l'Hôtel de Bourgogne une comédie de mœurs, *Les Plaideurs*, satire du monde de la justice. C'est un échec ; pourtant, par la suite, cette unique comédie connaîtra un succès durable et sera même la pièce de Racine la plus jouée par la Comédie-Française de 1680 à 1699. Mais cette mauvaise réception initiale a pour effet d'éloigner définitivement Racine du genre comique ; un an plus tard, il revient à la tragédie avec *Britannicus* en se plaçant sur le terrain de prédilection de son rival Corneille, l'Antiquité romaine. Les *Annales* de Tacite vont lui fournir le cadre historique et les principaux personnages de son œuvre.

L'Empire romain au Iᵉʳ siècle

Octave, le fondateur de l'empire

L'action de *Britannicus* se situe en 55 ap. J.-C., dans la première moitié de l'histoire de la Rome impériale. L'Empire romain débute en 29 av. J.-C lorsque le fils adoptif de Jules César, Octave, ayant éliminé ses rivaux du triumvirat (Lepidus et Antoine), prend le titre de *princeps senatus*, le premier des sénateurs, d'où le nom de principat donné au régime. Tout en conservant en apparence des formes républicaines (conservation des magistratures, des comices, du sénat), Octave vide celles-ci de leurs pouvoirs, instaure une autorité monarchique et s'octroie, en 27 av. J.-C., le titre d'Auguste dont il fera son nom. En 2 av. J.-C., il se fait proclamer « père de la patrie » et organise un culte impérial qui fait de lui un véritable dieu vivant. Nanti de tous les pouvoirs, il recrute et réunit les

600 sénateurs qui sont censés désigner l'empereur ; en fait, la plupart des successeurs d'Auguste seront désignés par leurs prédécesseurs ou imposés par leurs troupes.

Par ailleurs, Auguste réforme en profondeur la société romaine et met en place une hiérarchie fondée sur la richesse : l'ordre sénatorial bénéficie de privilèges surtout honorifiques ; en revanche, l'ordre équestre (des chevaliers) occupe l'essentiel des nouvelles charges administratives créées par l'empereur. Ainsi, les deux chefs de la garde impériale, les préfets du prétoire, sont choisis dans cet ordre ; ils jouent le rôle de vice-empereurs et sont déterminants dans la désignation des empereurs. Les manœuvres de Burrhus, préfet du prétoire, furent capitales dans l'accession de Néron au pouvoir.

Parmi les cadres de la Rome impériale, les affranchis, anciens esclaves libérés pour leurs mérites, vont jouer un rôle important en occupant des postes clés dans les ministères impériaux. C'est Narcisse, affranchi de Claude, qui organise la correspondance avec les provinces et les ambassadeurs ; Pallas, autre affranchi de Claude, s'occupe des affaires financières et met en place la gestion du Trésor. Ces deux affranchis participent d'ailleurs d'une manière active au conflit qui éclate lors de la succession de Claude.

La dynastie des Julio-Claudiens

Auguste donne naissance à la dynastie des Julio-Claudiens (voir le tableau généalogique p. 202) dont les membres se rattachaient soit à la *gens Julia* par Auguste, petit-neveu et fils adoptif de Jules César et par Scribonia, sa première femme, soit à la *gens Claudia* par Livie, seconde femme d'Auguste, qui avait épousé lors d'un premier mariage Tiberius Claudio Nero. C'est le fils de cette seconde épouse que l'empereur Auguste adopta pour lui succéder ; il régna sous le nom de Tibère (14 à 37 ap. J.-C.) et, sans fils lui-même, adopta Caligula, le petit-fils de son frère Drusus. Celui-ci sombra rapidement dans une folie meurtrière et fut assassiné en 41 ap. J.-C. sans laisser d'héritier. Poussé par les prétoriens, Claude, le neveu de Tibère, devint empereur ; marié quatre fois, il fit exécuter pour son infidélité sa troisième épouse Messaline (mère d'Octavie et de Britannicus) et épousa Agrippine la Jeune (sœur de Caligula). Cette dernière avait eu d'un précédent mariage un fils, Néron, avec Domitius Ahenobarbus (descendant d'Auguste) ; après avoir fait adopter et choisir Néron pour successeur, elle empoisonna Claude (54 ap. J.-C.).

Néron ou la fin d'une dynastie

Devenu empereur à dix-sept ans, Néron chercha rapidement à s'affranchir de la tutelle de sa mère ; il fit assassiner Britannicus (55 ap. J.-C.), le fils de Claude, son rival potentiel, et quatre ans plus tard Agrippine. Dès lors, son règne fut une succession d'atrocités et d'extravagances qui s'acheva par un suicide en 68 ap. J.-C. Sa mort marqua la fin de la dynastie des Julio-Claudiens.

Les *Annales* de Tacite, la source principale

Avec *Britannicus*, Racine choisit un sujet qui s'inscrit bien dans les normes de l'époque, notamment en situant l'intrigue dans une période historique attestée et connue : un épisode de l'Empire romain au Ier siècle après J.-C., et plus précisément l'avènement de Néron en 55 après J.-C. et les luttes pour le pouvoir. Pour construire sa tragédie, Racine utilise comme source principale les *Annales* de Tacite qui relatent les règnes de Tibère, Caligula, Claude et Néron.

Tacite naquit probablement en 55 ap. J.-C. alors que Néron était au pouvoir depuis un an. Avocat et grand fonctionnaire (consul en 97 et proconsul en Asie Mineure), il aborda tardivement l'histoire avec deux monographies, *La Vie d'Agricola*, courte biographie de son beau-père Agricola (conquérant de l'Écosse) et *La Germanie*, ouvrage géographique et ethnographique sur les peuples d'Outre-Rhin. Mais ses deux œuvres maîtresses (qui nous sont parvenues partiellement) sont les *Histoires* retraçant l'histoire romaine du règne de Galba (le successeur de Néron) à l'empereur

Buste de Néron (école italienne du XVIIe siècle),
château de Versailles, palais des Glaces.

Domitien, et les *Annales* qui relatent les règnes antérieurs, de Tibère (14-26 ap. J.-C.) à Néron (54-68 ap. J.-C.). Tacite s'attache à restituer les événements d'une manière fidèle, impartiale (sa devise est *fides incorrupta*) en montrant comment les caractères des protagonistes les influencent. Ainsi, dans les *Annales*, l'analyse psychologique des acteurs et l'atmosphère de l'histoire impériale tiennent une place importante.

Voici quelques extraits des *Annales* qui décrivent des événements relatés dans la pièce.

La mort de l'empereur Claude (évoquée notamment par Agrippine lors de son affrontement avec Néron, *Britannicus*, acte IV, scène 2).

« Alors Agrippine, décidée depuis longtemps au crime, mais prompte à saisir l'occasion et sûre d'être servie, délibéra sur le choix du poison. Si l'effet en était soudain et précipité, le forfait serait manifeste ; si elle choisissait une substance lente à agir et consomptive, il était à craindre que Claude, en approchant de ses derniers moments, ne devinât le complot et n'eût un retour de tendresse pour son fils. Il lui fallait une drogue raffinée, susceptible de troubler l'esprit sans hâter la mort. On arrêta son choix sur une femme habile à ces pratiques, une nommée Locuste, qui venait d'être condamnée pour empoisonnement et qui fut tenue longtemps pour un des instruments du règne. Cette femme imagina et prépara un poison qu'un eunuque fut chargé d'administrer, Halotus, dont le rôle était de servir les plats et de les goûter.

Tous les détails du crime devinrent bientôt si notoires que les écrivains du temps les ont tous relatés. Le poison fut mis dans un plat de cèpes agréables au goût, et l'effet de la drogue ne fut pas senti tout de suite, soit que Claude fût trop stupide, soit qu'il fût pris de vin. »

La prise du pouvoir menée par Agrippine et l'avènement de Néron (*Britannicus*, v. 1185-1194).

« Cependant on convoquait le Sénat, les consuls et les prêtres offraient des vœux pour la conservation du prince, tandis que déjà sans vie, on l'enveloppait de couvertures et pansements, pour donner à ceux qui s'occupaient de ce soin le temps d'assurer l'empire à Néron. Dès l'abord Agrippine, feignant d'être vaincue par le chagrin et d'être en quête de consolations, tenait Britannicus embrassé, l'appelait la vivante image de son père, et multipliait les artifices pour l'empêcher de sortir de l'appartement. Elle retint aussi ses sœurs Antonia et Octavie. Des gardes fermaient par ses soins toutes les avenues du palais et elle publiait à chaque instant que le prince allait mieux, afin de donner bon espoir aux soldats et d'attendre le moment favorable annoncé par les Chaldéens.

Enfin, à midi, le troisième jour avant les ides d'octobre, les portes du Palatium s'ouvrent soudain, et Néron, escorté de Burrhus, sort pour aller vers la cohorte qui, selon l'usage militaire, était alors de garde. Sur l'invitation du préfet, Néron est salué de cris de bon augure et placé dans une litière. Quelques soldats hésitèrent, dit-on, regardant derrière eux et demandant où était Britannicus ; puis, comme personne ne se présentait pour donner le signal de l'opposition, ils suivirent ce qu'on leur présentait. Porté dans le camp, Néron fit un discours de circonstance et promit une gratification extraordinaire égale aux largesses de son père. Tous le saluent alors du titre d'empereur. La décision des soldats fut suivie des décrets du sénat, et il n'y eut aucune hésitation dans les provinces. »

Néron s'affranchit de la tutelle d'Agrippine ; celle-ci tente en vain de maintenir son emprise (*Britannicus*, acte I ; acte II, scène 2 : acte II, scène 1 ; acte II, scènes 8 et 9 ; acte IV, scène 4).

« Alors Néron, irrité contre ceux sur lesquels s'appuyait l'orgueil de cette femme, ôta à Pallas la charge à laquelle Claude l'avait préposé et qui en faisait l'arbitre du gouvernement, en quelque sorte. On racontait qu'en le voyant sortir suivi d'un cortège immense le prince avait dit, non sans esprit, que Pallas s'en allait pour se démettre. Ce qui est sûr, c'est que Pallas avait stipulé qu'il ne serait enquêté sur aucun des actes de sa vie passée et qu'on le tiendrait quitte avec la république. Alors Agrippine s'emporte, cherche à effrayer et menace ; elle ne se prive même pas de faire entendre au prince « que Britannicus n'est plus un enfant, mais le vrai, le digne rejeton de Claude, en état d'hériter de l'empire de son père, de cet empire qu'un intrus, qu'un adopté n'exerce que pour faire tort à sa mère. Elle ne s'oppose pas à ce qu'on dévoile tous les maux de cette famille infortunée et, avant tout, son propre mariage et son crime d'empoisonneuse. Heureusement elle et les dieux ont pourvu à ce que vive son beau-fils. Elle ira avec lui au camp, et plaise aux dieux qu'on entende d'un côté la fille de Germanicus et de l'autre Burrhus, un estropié, Sénèque, un banni, réclamer l'un avec sa main mutilée, l'autre avec sa langue de professeur, le gouvernement du genre humain. En même temps elle tendait les bras, accumulait les injures, invoquait Claude divinisé, en appelait aux Mânes infernaux de Silanus et à tant de crimes vainement commis. »

Néron décide d'empoisonner Britannicus, en qui il perçoit un rival ; cette mort marque le début d'un règne cruel et la fin prochaine d'Agrippine (*Britannicus*, acte III, scène 8 ; acte IV, scènes 5 et 6).

« Ces menaces troublèrent Néron ; et le jour était proche où Britannicus allait avoir quatorze ans accomplis. Il ne cessait de songer tantôt à la violence de sa mère, tantôt au caractère du jeune homme, dont il venait d'avoir une idée dans une circonstance futile sans doute, mais suffisante pour lui valoir une sympathie étendue. Pendant les fêtes de Saturne, entre autres amusements avec les jeunes gens de leur âge, on jouait à tirer au sort la royauté, et elle était échue à Néron. Celui-ci avait donné à tous les autres des ordres divers, mais dont l'exécution n'avait rien qui pût les faire rougir ; arrivé à Britannicus, il lui commande de se lever, de s'avancer au milieu de la salle et de se mettre à chanter quelque chose, espérant faire rire aux dépens d'un enfant étranger aux festins les plus sobres et à plus forte raison aux orgies. Mais celui-ci, sans se déconcerter, entonna un chant dont le sens était qu'il avait été précipité du trône paternel et du rang suprême. Ces vers excitèrent un attendrissement d'autant plus sensible que la nuit et le laisser-aller avaient banni la feinte. Néron comprit qu'il s'était rendu odieux et sa haine en fut accrue ; d'ailleurs les menaces d'Agrippine s'imposaient à lui ; mais il n'y avait rien dont on pût faire un crime à Britannicus, et Néron n'osait pas ordonner publiquement le meurtre d'un frère ; il a donc recours à des menées secrètes et fait préparer du poison par le ministère de Julius Pollio, tribun d'une cohorte prétorienne, à qui était confiée la garde d'une nommée Locuste, condamnée pour empoisonnement et fameuse par le nombre de ses crimes. Dans l'entourage immédiat de Britannicus on avait depuis longtemps pris soin de ne placer que des gens sans foi ni loi. Le poison lui fut d'abord administré par ses gouverneurs mêmes, mais il le rendit par le bas, soit qu'il ne fût pas assez actif, soit qu'on en eût atténué l'énergie pour que la violence n'en fût pas instantanée. Mais Néron, impatient de ces lenteurs dans le crime, menaçait le tribun, ordonnait le supplice de l'empoisonneuse pour la raison "qu'en ayant égard à la rumeur publique et en se préparant des moyens de défense, tous deux compromettaient sa propre sécurité". Comme ils promettaient enfin un trépas aussi prompt que si Britannicus tombait sous le fer, le poison est distillé auprès de l'appartement de César et avec des substances dont on avait éprouvé l'effet foudroyant.

C'était l'usage que les fils des empereurs prissent leurs repas assis avec les autres nobles de leur âge sous les yeux de leurs parents, à une table spéciale et plus frugale. Britannicus était à l'une de ces tables ; comme ses mets et sa boisson étaient goûtés d'abord par un serviteur de confiance, on ne voulait pas négliger cet usage ni rendre le crime patent par deux morts à la fois, et voici l'expédient auquel on eut recours. Un breuvage encore innocent, mais très chaud, est servi après essai à Britannicus ; puis, comme il le repoussait à cause de son extrême chaleur, on y verse avec de l'eau fraîche le poison qui se répandit dans tous ses membres avec une rapidité telle que la parole et la vie lui furent ravies à la fois. Le trouble s'empare de ses voisins de table ; les moins prudents s'enfuient ; mais ceux dont l'intelligence est plus profonde demeurent à leur place, immobiles et les yeux fixés sur Néron. Et lui, appuyé sur son lit et comme étranger à ce qui se passait, dit que le fait n'avait rien d'extraordinaire : c'était la conséquence du haut mal dont Britannicus était affligé dès sa première enfance et on allait voir peu à peu lui revenir la vue et le sentiment. Mais Agrippine laissa percer, malgré ses efforts pour les refouler, une telle épouvante et un tel désarroi que, de toute évidence, elle était aussi étrangère à ce crime qu'Octavie, sœur de Britannicus : et en effet elle comprenait que cette mort lui enlevait son suprême appui et était un essai de parricide. Octavie aussi, dans un âge si tendre, avait appris à cacher sa douleur, sa tendresse, toutes ses affections. Ainsi, après quelques instants de silence, le festin reprit sa gaieté.

La même nuit réunit le trépas de Britannicus et son bûcher. »

Le personnage de Narcisse (*Britannicus*, acte II, scène 2 ; acte III, scène 6 ; acte IV, scène 4).

« Narcisse, se défiant de plus en plus d'Agrippine, passait pour avoir confié à ses intimes que sa perte était assurée, quel que dût être le maître du monde, Britannicus ou Néron, mais qu'il avait tant de reconnaissance à Claude qu'il se devait de consacrer sa vie à son service. Il avait convaincu, ajoutait-il, Messaline et Silius ; les mêmes raisons d'accuser s'offraient à lui, si Néron devenait empereur ; si c'était Britannicus qui succédait, le prince n'avait rien à craindre ; mais les intrigues d'une marâtre bouleversaient tout le palais, et en les taisant, il commettait un crime plus honteux que s'il avait tu les désordres de la précédente épouse. Au reste, l'impudicité non plus ne faisait pas défaut à celle qui avait Pallas pour amant, et personne ne pouvait douter que la décence, l'honneur, son corps même ne fussent mis par elle à plus bas prix qu'un trône. En répétant ces propos et d'autres semblables, il embrassait Britannicus ; il priait les dieux de hâter le plus possible pour lui l'âge de la force ; il tendait les mains tantôt vers les dieux, tantôt vers Britannicus lui-même, et lui souhaitait de grandir, de chasser les ennemis de son père, et de se venger aussi des meurtriers de sa mère. »

Tacite, *Annales*, livres XII et XIII.

Des *Annales* à *Britannicus*

Si les personnages de sa tragédie appartiennent à l'histoire et sont fortement marqués par l'œuvre de Tacite, comme le montrent en partie les extraits ci-dessus, notamment pour la couleur psychologique, Racine ne se considère pas prisonnier de ces références et revendique le droit de modifier les circonstances, les faits, la chronologie et le caractère des personnages. Ainsi, dans *Britannicus*, il prend ses distances avec sa source antique sur plusieurs points : au moment où débute la pièce, Britannicus n'a pas dix-sept ans mais quatorze ans ; Narcisse, qui n'a jamais comploté contre Britannicus dont il fut au contraire le fidèle soutien, est déjà mort, assassiné sur ordre de Néron ; le personnage de Junie ne renvoie pas à un personnage historique précis et semble une invention de Racine.

C'est pour cette raison que, tout en signalant la filiation évidente avec Tacite (« *J'étais alors si rempli de la lecture de cet excellent historien, qu'il n'y a presque pas un trait éclatant dans ma tragédie dont il ne m'ait donné l'idée.* », seconde préface de *Britannicus*), Racine rejette avec vigueur les critiques des « *censeurs* » et revendique sa liberté de créateur, notamment à propos du personnage de Junie : « *Si je la représente plus retenue qu'elle n'était, je n'ai pas ouï dire qu'il nous fût défendu de rectifier les mœurs d'un personnage, surtout lorsqu'il n'est pas connu.* », première préface de *Britannicus*.

Portrait de Racine.
Bibliothèque nationale, Paris.

Britannicus

RACINE

tragédie

Représentée pour la première fois
le 13 décembre 1669

À Monseigneur
le Duc de Chevreuse[1]

Monseigneur,

Vous serez peut-être étonné de voir votre nom à la tête de cet ouvrage ; et si je vous avais demandé la permission de vous l'offrir, je doute si je l'aurais obtenue. Mais ce serait être en quelque sorte ingrat que de cacher plus longtemps au monde les bontés dont vous m'avez toujours honoré. Quelle apparence qu'un homme qui ne travaille que pour la gloire se puisse taire d'une protection aussi glorieuse que la vôtre ? Non, Monseigneur, il m'est trop avantageux que l'on sache que mes amis mêmes ne vous sont pas indifférents, que vous prenez part à tous mes ouvrages, et que vous m'avez procuré l'honneur de lire celui-ci devant un homme[2] dont toutes les heures sont précieuses. Vous fûtes témoin avec quelle pénétration d'esprit il jugea de l'économie[3] de la pièce, et combien l'idée qu'il s'est formée d'une excellente tragédie est au-delà de tout ce que j'en ai pu concevoir. Ne craignez pas, Monseigneur, que je m'en-

---

1. **Le duc de Chevreuse** : condisciple de Racine à Port-Royal, ce personnage important de la cour lia une amitié durable avec le poète ; par ailleurs, Racine vécut deux ans à l'hôtel de Luynes, propriété de la famille de Luynes-Chevreuse, où son cousin Nicolas Vitart, qui occupait les fonctions d'intendant, l'avait accueilli.
2. **Un homme** : Racine fait allusion à Colbert, secrétaire d'État et contrôleur général des Finances de Louis XIV ; le duc a épousé sa fille en 1667. C'est Colbert qui met en place, avec l'aide de Chapelain, le système des gratifications royales dont Racine sera un des bénéficiaires réguliers (en 1670, il lui dédiera sa tragédie *Bérénice*).
3. **L'économie** : la disposition harmonieuse des parties de l'œuvre.

gage plus avant, et que n'osant le louer en face, je m'adresse à vous pour le louer avec plus de liberté. Je sais qu'il serait dangereux de le fatiguer de ses louanges ; et j'ose dire que cette même modestie, qui vous est commune avec lui, n'est pas un des moindres liens qui vous attachent l'un à l'autre. La modération n'est qu'une vertu ordinaire quand elle ne se rencontre qu'avec des qualités ordinaires. Mais qu'avec toutes les qualités et du cœur et de l'esprit, qu'avec un jugement qui, ce semble, ne devrait être le fruit que de l'expérience de plusieurs années[1], qu'avec mille belles connaissances que vous ne sauriez cacher à vos amis particuliers, vous ayez encore cette sage retenue que tout le monde admire en vous, c'est sans doute une vertu rare en un siècle où l'on fait vanité des moindres choses. Mais je me laisse emporter insensiblement à la tentation de parler de vous. Il faut qu'elle soit bien violente, puisque je n'ai pu y résister dans une lettre où je n'avais autre dessein que de vous témoigner avec combien de respect je suis,

MONSEIGNEUR,

Votre très humble et très obéissant serviteur,

Racine.

---

1. **Plusieurs années :** de nombreuses années.

PREMIÈRE PRÉFACE[1]

De tous les ouvrages que j'ai donnés au public, il n'y en a point qui m'ait attiré plus d'applaudissements ni plus de censeurs que celui-ci. Quelque soin que j'aie pris pour travailler cette tragédie, il semble qu'autant que je me suis efforcé de la rendre bonne, autant de certaines gens se sont efforcés de la décrier. Il n'y a point de cabale qu'ils n'aient faite, point de critique dont ils ne se soient avisés. Il y en a qui ont pris même le parti de Néron contre moi. Ils ont dit que je le faisais trop cruel. Pour moi, je croyais que le nom seul de Néron faisait entendre quelque chose de plus que cruel. Mais peut-être qu'ils raffinent sur son histoire, et veulent dire qu'il était honnête homme dans ses premières années. Il ne faut qu'avoir lu Tacite[2] pour savoir que s'il a été quelque temps un bon empereur, il a toujours été un très méchant homme. Il ne s'agit point dans ma tragédie des affaires du dehors. Néron est ici dans son particulier et dans sa famille. Et ils me dispenseront de leur rapporter tous les passages qui pourraient bien aisément leur prouver que je n'ai point de réparation à lui faire.

D'autres ont dit, au contraire, que je l'avais fait trop bon. J'avoue que je ne m'étais pas formé l'idée d'un bon homme en la personne de Néron. Je l'ai toujours regardé comme un monstre. Mais c'est ici un monstre naissant[3]. Il n'a pas encore mis le feu à Rome. Il n'a pas tué sa mère, sa femme, ses gou-

---

1. Cette première préface, parue lors de la première édition de janvier 1670, est une réponse à la cabale organisée par les partisans de Corneille. Elle ne sera pas reprise dans les éditions postérieures.
2. **Tacite** : historien latin (v. 55-v. 120) ; ses *Annales* constituent la source de Racine pour l'élaboration de *Britannicus*.
3. **Monstre naissant** : cette expression révèle la maîtrise dramaturgique de Racine : il saisit son personnage dans une disposition et une temporalité psychologique très précises.

verneurs. À cela près, il me semble qu'il lui échappe assez de cruautés pour empêcher que personne ne le méconnaisse[1].

Quelques-uns ont pris l'intérêt de Narcisse, et se sont plaints que j'en eusse fait un très méchant homme et le confident de Néron. Il suffit d'un passage pour leur répondre. « Néron, dit Tacite, porta[2] impatiemment la mort de Narcisse, parce que cet affranchi avait une conformité merveilleuse avec les vices du prince encore cachés : *Cujus abditis adhuc vitiis mire congruebat*[3]. »

Les autres se sont scandalisés que j'eusse choisi un homme aussi jeune que Britannicus pour le héros d'une tragédie. Je leur ai déclaré, dans la préface d'*Andromaque*, les sentiments d'Aristote sur le héros de la tragédie[4] ; et que bien loin d'être parfait, il faut toujours qu'il ait quelque imperfection. Mais je leur dirai encore ici qu'un jeune prince de dix-sept ans, qui a beaucoup de cœur, beaucoup d'amour, beaucoup de franchise et beaucoup de crédulité, qualités ordinaires d'un jeune homme, m'a semblé très capable d'exciter la compassion. Je n'en veux pas davantage.

Mais, disent-ils, ce prince n'entrait que dans sa quinzième année lorsqu'il mourut. On le fait vivre, lui et Narcisse, deux ans plus qu'ils n'ont vécu. Je n'aurais point parlé de cette objection, si elle n'avait été faite avec chaleur par un homme qui s'est donné la liberté de faire régner vingt ans un empereur qui n'en a régné que huit[5], quoique ce changement soit bien plus consi-

---

1. **Ne le méconnaisse** : ne se trompe sur lui.
2. **Porta** : endura.
3. **Cujus [...] congruebat** : extrait de Tacite (*Annales*, XIII, 1) traduit par Racine à la phrase précédente.
4. **Le héros de la tragédie** : dans sa première préface d'*Andromaque* (1667), Racine rappelle qu'il ne fait que se conformer « *aux règles du théâtre* » et que « *Aristote bien éloigné de nous demander des héros parfaits, veut au contraire que les personnages tragiques, c'est-à-dire ceux dont le malheur fait la catastrophe de la tragédie, ne soient ni tout à fait bons, ni tout à fait méchants* ».
5. **Un homme [...] que huit** : en posant le problème de la vérité historique, Racine demeure dans la polémique en faisant allusion à Corneille qui, dans *Héraclius* (1647), attribue un règne de vingt ans à l'empereur Phocas.

dérable dans la chronologie, où l'on suppute les temps par les années des empereurs[1].

Junie ne manque pas non plus de censeurs. Ils disent que d'une vieille coquette, nommée Junia Silana[2], j'en ai fait une jeune fille très sage. Qu'auraient-ils à me répondre si je leur disais que cette Junie est un personnage inventé, comme l'Émilie[3] de *Cinna,* comme la Sabine d'*Horace* ? Mais j'ai à leur dire que s'ils avaient bien lu l'histoire, ils auraient trouvé une Junia Calvina, de la famille d'Auguste, sœur de Silanus, à qui Claudius avait promis Octavie. Cette Junie était jeune, belle, et, comme dit Sénèque *festivissima omnium puellarum*[4]. Elle aimait tendrement son frère ; *et leurs ennemis*, dit Tacite, *les accusèrent tous deux d'inceste, quoiqu'ils ne fussent coupables que d'un peu d'indiscrétion.* Si je la représente plus retenue qu'elle n'était, je n'ai pas ouï dire qu'il nous fût défendu de rectifier les mœurs d'un personnage, surtout lorsqu'il n'est pas connu.

L'on trouve étrange qu'elle paraisse sur le théâtre après la mort de Britannicus. Certainement la délicatesse est grande de ne pas vouloir qu'elle dise en quatre vers assez touchants qu'elle passe chez Octavie[5]. Mais, disent-ils, cela ne valait pas la peine de la faire revenir. Un autre l'aurait pu raconter pour elle. Ils ne

---

1. **Les années des empereurs** : les Romains désignaient fréquemment l'année en cours par rapport à la première année de règne de l'empereur du moment.
2. **Junia Silana** : amie d'Agrippine, elle se brouille avec elle en l'accusant de complot contre Néron. Son mari, Silius, fut un des amants de Messaline, la mère de Britannicus.
3. **Émilie [...] Sabine** : deux personnages du théâtre de Corneille ; si la polémique transparaît encore ici, la réflexion de Racine vaut surtout par sa revendication de sa liberté vis-à-vis de l'histoire.
4. **Festivissima omnium puellarum** : « La plus séduisante de toutes les jeunes filles. »
5. **Qu'elle passe chez Octavie** : en fait, après 1670, Racine supprima cette scène de douze vers qui précédait la scène 6 de l'acte V : on y voyait Junie confrontée à Néron, l'assassin de son amant. Voici les quatre vers incriminés :
« Junie : J'aimais Britannicus, Seigneur : je vous l'ai dit.
   Si de quelque pitié ma misère est suivie,
   Qu'on me laisse chercher dans le sein d'Octavie
   Un entretien conforme à l'état où je suis. »

savent pas qu'une des règles du théâtre est de ne mettre en récit que les choses qui ne se peuvent passer en action ; et que tous les Anciens font venir souvent sur la scène des acteurs qui n'ont pas autre chose à dire, sinon qu'ils viennent d'un endroit, et qu'ils s'en retournent en un autre.

Tout cela est inutile, disent mes censeurs. La pièce est finie au récit de la mort de Britannicus, et l'on ne devrait point écouter le reste. On l'écoute pourtant, et même avec autant d'attention qu'aucune fin de tragédie. Pour moi, j'ai toujours compris que la tragédie étant l'imitation d'une action complète, où plusieurs personnes concourent, cette action n'est point finie que l'on ne sache en quelle situation elle laisse ces mêmes personnes. C'est ainsi que Sophocle en use presque partout. C'est ainsi que dans l'*Antigone* il emploie autant de vers à représenter la fureur d'Hémon et la punition de Créon[1] après la mort de cette princesse, que j'en ai employé aux imprécations d'Agrippine, à la retraite de Junie, à la punition de Narcisse, et au désespoir de Néron, après la mort de Britannicus.

Que faudrait-il faire pour contenter des juges si difficiles ? La chose serait aisée, pour peu qu'on voulût trahir le bon sens. Il ne faudrait que s'écarter du naturel pour se jeter dans l'extraordinaire[2]. Au lieu d'une action simple, chargée de peu de matière, telle que doit être une action qui se passe en un seul jour, et qui s'avançant par degrés vers sa fin, n'est soutenue que par les intérêts, les sentiments et les passions des personnages, il faudrait remplir cette même action de quantité d'incidents qui ne se pourraient passer qu'en un mois, d'un grand nombre de jeux de théâtre, d'autant plus surprenants qu'ils seraient moins vraisemblables, d'une infinité de déclamations où l'on ferait dire aux acteurs tout le contraire de ce qu'ils devraient dire. Il faudrait, par exemple, représenter quelque héros ivre, qui se voudrait faire

---

1. **Hémon [...] Créon :** dans la pièce de Sophocle, Hémon, fils de Créon, se tue après que son père a ordonné l'exécution d'Antigone ; ce suicide accable Créon.
2. **Dans l'extraordinaire :** nouvelle allusion à l'« invraisemblable vrai » de la tragédie cornélienne.

haïr de sa maîtresse de gaieté de cœur, un Lacédémonien grand
parleur, un conquérant qui ne débiterait que des maximes
d'amour, une femme qui donnerait des leçons de fierté à des
conquérants[1]. Voilà sans doute de quoi faire récrier[2] tous ces
Messieurs. Mais que dirait cependant le petit nombre de gens
sages auxquels je m'efforce de plaire ? De quel front oserais-je
me montrer, pour ainsi dire, aux yeux de ces grands hommes
de l'Antiquité que j'ai choisis pour modèles ? Car, pour me servir de la pensée d'un Ancien[3], voilà les véritables spectateurs
que nous devons nous proposer ; et nous devons sans cesse nous
demander : « Que diraient Homère et Virgile, s'ils lisaient ces
vers ? Que dirait Sophocle, s'il voyait représenter cette scène ? »
Quoi qu'il en soit, je n'ai point prétendu empêcher qu'on ne
parlât contre mes ouvrages. Je l'aurais prétendu inutilement.
Quid de te alii loquantur ipsi videant, dit Cicéron ; *sed loquen-
tur tamen*[4].

Je prie seulement le lecteur de me pardonner cette petite préface, que j'ai faite pour lui rendre raison de ma tragédie. Il n'y
a rien de plus naturel que de se défendre quand on se croit
injustement attaqué. Je vois que Térence[5] même semble n'avoir
fait des prologues que pour se justifier contre les critiques d'un
vieux poète malintentionné[6], *malevoli veteris poetae,* et qui
venait briguer des voix contre lui jusqu'aux heures où l'on représentait ses comédies.

---

1. **Il faudrait [...] conquérants** : allusion à des personnages des tragédies de
   Corneille : *Attila* (1667), *Agésilas* (1666), *Sertorius* (1662) et *Sophonisbe* (1663).
2. **Récrier** : s'indigner.
3. **Un Ancien** : Longin, philosophe grec, à qui on attribua à tort le *Traité du
   sublime*, ouvrage sur la littérature traduit par Boileau.
4. **Quid [...] tamen** : « Ce que les autres diront de toi, c'est à eux de le voir ; mais
   à coup sûr, ils en parleront » (*La République*, VI, 16).
5. **Térence** : auteur latin de comédies (IIᵉ s. avant J.-C.) ; dans ses prologues, il
   défendait ses pièces contre les critiques.
6. **Un vieux poète malintentionné** : il s'agit de Luscius de Lanuvium, dramaturge
   latin concurrent de Térence ; l'allusion à Corneille est évidente.

> *Occepta est agi ;*
> *Exclamat,* etc.[1]

On me pouvait faire une difficulté qu'on ne m'a point faite. Mais ce qui est échappé aux spectateurs pourra être remarqué par les lecteurs. C'est que je fais entrer Junie dans les Vestales, où, selon Aulu-Gelle[2], on ne recevait personne au-dessous de six ans, ni au-dessus de dix. Mais le peuple prend ici Junie sous sa protection, et j'ai cru qu'en considération de sa naissance, de sa vertu et de son malheur, il pouvait la dispenser de l'âge prescrit par les lois, comme il a dispensé de l'âge pour le consulat tant de grands hommes qui avaient mérité ce privilège.

Enfin je suis très persuadé qu'on me peut faire bien d'autres critiques, sur lesquelles je n'aurais d'autre parti à prendre que celui d'en profiter à l'avenir. Mais je plains fort le malheur d'un homme qui travaille pour le public. Ceux qui voient le mieux nos défauts sont ceux qui les dissimulent le plus volontiers. Ils nous pardonnent les endroits qui leur ont déplu, en faveur de ceux qui leur ont donné du plaisir. Il n'y a rien, au contraire, de plus injuste qu'un ignorant. Il croit toujours que l'admiration est le partage des gens qui ne savent rien. Il condamne toute une pièce pour une scène qu'il n'approuve pas. Il s'attaque même aux endroits les plus éclatants, pour faire croire qu'il a de l'esprit ; et pour peu que nous résistions à ses sentiments, il nous traite de présomptueux qui ne veulent croire personne, et ne songe pas qu'il tire quelquefois plus de vanité d'une critique fort mauvaise, que nous n'en tirons d'une assez bonne pièce de théâtre.

> *Homine imperito numquam quidquam injustius*[3].

---

1. **Occepta [...] exclamat :** « On commence ; il s'écrie » ; citation extraite du Prologue de *l'Eunuque* de Térence. L'allusion à Corneille est encore claire : on rapporte qu'à la première représentation de *Britannicus*, Corneille, seul dans sa loge, ne se serait pas privé de faire des commentaires à haute voix.
2. **Aulu-Gelle :** érudit latin du IIe siècle ap. J.-C.
3. Citation d'une pièce de Térence, les *Adelphes* (acte I, scène 2) ; Racine a donné la traduction de ce vers un peu plus haut : « Il n'y a rien, au contraire, de plus injuste qu'un ignorant. »

Seconde préface[1]

Voici celle de mes tragédies que je puis dire que j'ai le plus travaillée. Cependant j'avoue que le succès ne répondit pas d'abord à mes espérances. À peine elle parut sur le théâtre, qu'il s'éleva quantité de critiques qui semblaient la vouloir détruire. Je crus moi-même que sa destinée serait à l'avenir moins heureuse que celle de mes autres tragédies. Mais enfin il est arrivé de cette pièce ce qui arrivera toujours des ouvrages qui auront quelque bonté. Les critiques se sont évanouies ; la pièce est demeurée. C'est maintenant celle des miennes que la cour et le public revoient le plus volontiers ; et si j'ai fait quelque chose de solide et qui mérite quelque louange, la plupart des connaisseurs demeurent d'accord que c'est ce même *Britannicus*.

À la vérité j'avais travaillé sur des modèles qui m'avaient extrêmement soutenu dans la peinture que je voulais faire de la cour d'Agrippine et de Néron. J'avais copié mes personnages d'après le plus grand peintre de l'Antiquité, je veux dire d'après Tacite. Et j'étais alors si rempli de la lecture de cet excellent historien, qu'il n'y a presque pas un trait éclatant dans ma tragédie dont il ne m'ait donné l'idée. J'avais voulu mettre dans ce recueil un extrait des plus beaux endroits que j'ai tâché d'imiter ; mais j'ai trouvé que cet extrait tiendrait presque autant de place que la tragédie. Ainsi le lecteur trouvera bon que je le renvoie à cet auteur, qui aussi bien est entre les mains de tout le monde ; et je me contenterai de rapporter ici quelques-uns de ses passages sur chacun des personnages que j'introduis sur la scène.

Pour commencer par Néron, il faut se souvenir qu'il est ici dans les premières années de son règne, qui ont été heureuses, comme l'on sait. Ainsi il ne m'a pas été permis de le représenter

---

1. Cette préface est celle de toutes les éditions à partir de 1676. Les passages polémiques à l'égard de Corneille ont disparu.

aussi méchant qu'il a été depuis. Je ne le représente pas non plus comme un homme vertueux, car il ne l'a jamais été. Il n'a pas encore tué sa mère, sa femme, ses gouverneurs ; mais il a en lui les semences de tous ces crimes. Il commence à vouloir secouer le joug. Il les hait les uns et les autres, et il leur cache sa haine sous de fausses caresses : *Factus natura velare odium fallacibus blanditiis*[1]. En un mot, c'est ici un monstre naissant, mais qui n'ose encore se déclarer[2], et qui cherche des couleurs[3] à ses méchantes actions : *Hactenus Nero flagitiis et sceleribus velamenta quaesivit*[4]. Il ne pouvait souffrir Octavie, princesse d'une bonté et d'une vertu exemplaire[5] : *Fato quodam, an quia praevalent illicita ; metuebaturque ne in stupra feminarum illustrium prorumperet*[6].

Je lui donne Narcisse pour confident. J'ai suivi en cela Tacite, qui dit que Néron porta impatiemment la mort de Narcisse, parce que cet affranchi avait une conformité merveilleuse avec les vices du prince encore cachés : *Cujus abditis adhuc vitiis mire congruebat*[7]. Ce passage prouve deux choses : il prouve et que Néron était déjà vicieux, mais qu'il dissimulait ses vices, et que Narcisse l'entretenait dans ses mauvaises inclinations.

J'ai choisi Burrhus pour opposer un honnête homme à cette peste de cour ; et je l'ai choisi plutôt que Sénèque. En voici la raison. Ils étaient tous deux gouverneurs de la jeunesse de Néron, l'un pour les armes, l'autre pour les lettres ; et ils étaient fameux, Burrhus pour son expérience dans les armes et pour la

---

1. **Factus [...] blanditiis** : « Naturellement porté à cacher sa haine sous de trompeuses caresses. » (Tacite, *Annales*, XIV, 56).
2. **Se déclarer** : apparaître clairement tel qu'il est.
3. **Des couleurs** : des prétextes, des mauvaises justifications.
4. **Hactenus [...] quaesivit** : « Jusque-là, Néron chercha à dissimuler ses errements et ses crimes. » (Tacite, *Annales*, XIII, 47).
5. **Exemplaire** : ici, selon l'usage latin, l'adjectif s'accorde avec le dernier des noms qu'il caractérise.
6. **Fato [...] prorumperet** : « Par une sorte de fatalité, ou parce que les choses interdites ont plus d'attrait ; et l'on redoutait qu'il ne déshonorât des femmes illustres. » (Tacite, *Annales*, XIII, 12).
7. **Cujus [...] congruebat** : voir la première préface, note 3, p. 39.

sévérité de ses mœurs, *militaribus curis et severitate morum*[1] ;
Sénèque pour son éloquence et le tour agréable de son esprit,
Seneca praeceptis eloquentiae et comitate honesta[2]. Burrhus,
après sa mort, fut extrêmement regretté à cause de sa vertu :
Civitati grande desiderium ejus mansit per memoriam virtutis[3].

Toute leur peine était de résister à l'orgueil et à la férocité
d'Agrippine, *quae cunctis malae dominationis cupidinibus fla-
grans, habebat in partibus Pallantem*[4]. Je ne dis que ce mot
d'Agrippine, car il y aurait trop de choses à en dire. C'est elle
que je me suis surtout efforcé de bien exprimer, et ma tragédie
n'est pas moins la disgrâce d'Agrippine que la mort de Britannicus. Cette mort fut un coup de foudre pour elle, et il parut,
dit Tacite, par sa frayeur et par sa consternation, qu'elle était
aussi innocente de cette mort qu'Octavie. Agrippine perdait en
lui sa dernière espérance, et ce crime lui en faisait craindre un
plus grand : *Sibi supremum auxilium ereptum, et parricidii
exemplum intelligebat*[5].

L'âge de Britannicus était si connu, qu'il ne m'a pas été permis
de le représenter autrement que comme un jeune prince qui avait
beaucoup de cœur, beaucoup d'amour et beaucoup de franchise,
qualités ordinaires d'un jeune homme. Il avait quinze ans, et on
dit qu'il avait beaucoup d'esprit, soit qu'on dise vrai, ou que ses
malheurs aient fait croire cela de lui, sans qu'il ait pu en donner
des marques : *Neque segnem ei fuisse indolem ferunt ; sive*

1. **Militaribus [...] morum** : citation (Tacite, *Annales*, XIII, 2) traduite juste avant
   par Racine.
2. **Senecas [...] comitate honesta** : Racine utilise le même procédé (Tacite, *Annales*,
   XIII, 2).
3. **Civitati [...] virtutis** : « La cité le regretta grandement et longtemps par le souvenir
   de sa vertu. » (Tacite, *Annales*, XIV, 51).
4. **Quae [...] in partibus Pallantem** : « qui, brûlant de tous les désirs d'une
   domination criminelle, avait Pallas à ses côtés » (Tacite, *Annales*, XIII, 2).
5. **Sibi [...] intelligebat** : « Elle comprenait que son dernier appui lui avait été ôté et
   que la voie du parricide était ouverte » (Tacite, *Annales*, XIII, 16).

verum, seu periculis commendatus retinuit famam sine experimento[1].

Il ne faut pas s'étonner s'il n'a auprès de lui qu'un aussi méchant homme que Narcisse ; car il y avait longtemps qu'on avait donné ordre qu'il n'y eût auprès de Britannicus que des gens qui n'eussent ni foi ni honneur : *Nam ut proximus quisque Britannico neque fas neque fidem pensi haberet olim provisum erat*[2].

Il me reste à parler de Junie. Il ne la faut pas confondre avec une vieille coquette qui s'appelait Junia Silana. C'est ici une autre Junie, que Tacite appelle Junia Calvina, de la famille d'Auguste, sœur de Silanus à qui Claudius avait promis Octavie. Cette Junie était jeune, belle et, comme dit Sénèque, *festivissima omnium puellarum*[3]. Son frère et elle s'aimaient tendrement ; et leurs ennemis, dit Tacite, les accusèrent tous deux d'inceste, quoiqu'ils ne fussent coupables que d'un peu d'indiscrétion. Elle vécut jusqu'au règne de Vespasien.

Je la fais entrer dans les Vestales, quoique, selon Aulu-Gelle[4], on n'y reçût jamais personne au-dessous de six ans, ni au-dessus de dix. Mais le peuple prend ici Junie sous sa protection. Et j'ai cru qu'en considération de sa naissance, de sa vertu et de son malheur, il pouvait la dispenser de l'âge prescrit par les lois, comme il a dispensé de l'âge pour le consulat tant de grands hommes qui avaient mérité ce privilège.

1. **Neque [...] experimento** : citation (Tacite, *Annales*, XII, 26) traduite juste avant par Racine.
2. **Nam [...] erat** : citation (Tacite, *Annales*, XIII, 15) ; Racine utilise le même procédé.
3. **Festivissima [...] puellarum** : voir la première préface, note 4, p. 40.
4. **Aulu-Gelle** : voir la première préface, note 2, p. 43.

Personnages

NÉRON   *empereur, fils d'Agrippine.*
BRITANNICUS   *fils de l'empereur Claudius.*
AGRIPPINE   *veuve de Domitius Enobarbus,*
                       père de Néron, et, en secondes noces,
                       veuve de l'empereur Claudius.

JUNIE   *amante[1] de Britannicus.*
BURRHUS   *gouverneur [2] de Néron.*
NARCISSE   *gouverneur de Britannicus.*
ALBINE   *confidente d'Agrippine.*
Gardes.

La scène est à Rome, dans une chambre du palais de Néron.

---

1. **Amante :** celle qui aime et qui est aimée de retour, d'une manière platonique.
2. **Gouverneur :** il remplit les fonctions de précepteur et de confident.

ACTE PREMIER

SCÈNE PREMIÈRE. AGRIPPINE, ALBINE.

ALBINE

Quoi ! tandis que Néron s'abandonne au sommeil,
Faut-il que vous veniez attendre son réveil ?
Qu'errant dans le palais sans suite et sans escorte,
La mère de César[1] veille seule à sa porte ?
5   Madame, retournez dans votre appartement.

AGRIPPINE

Albine, il ne faut pas s'éloigner un moment.
Je veux l'attendre ici. Les chagrins[2] qu'il me cause
M'occuperont assez tout le temps qu'il repose.
Tout ce que j'ai prédit n'est que trop assuré :
10   Contre Britannicus Néron s'est déclaré ;
L'impatient[3] Néron cesse de se contraindre ;
Las de se faire aimer, il veut se faire craindre.
Britannicus le gêne, Albine ; et chaque jour
Je sens que je deviens importune à mon tour.

ALBINE

15   Quoi ? vous à qui Néron doit le jour qu'il respire,
Qui l'avez appelé de si loin à l'Empire ?
Vous qui déshéritant le fils de Claudius[4],
Avez nommé César l'heureux Domitius[5] ?

---

1. **César :** titre donné aux empereurs romains.
2. **Chagrins :** tourments.
3. **Impatient :** qui ne sait pas se contraindre.
4. **Le fils de Claudius :** Britannicus est né du premier mariage de l'empereur Claude avec Messaline. Il faut prononcer Claudius avec une diérèse (Claudi-us) pour obtenir les douze syllabes de l'alexandrin.
5. **Domitius :** c'est le nom de la famille d'origine de Néron. Diérèse (Do-mi-ti-us).

Tout lui parle, Madame, en faveur d'Agrippine :
20 Il vous doit son amour.

                    AGRIPPINE
                Il me le doit, Albine :
Tout, s'il est généreux[1], lui prescrit cette loi ;
Mais tout, s'il est ingrat, lui parle contre moi.

                    ALBINE
S'il est ingrat, Madame ! Ah ! toute sa conduite
Marque dans son devoir une âme trop instruite.
25 Depuis trois ans entiers, qu'a-t-il dit, qu'a-t-il fait
Qui ne promette à Rome un empereur parfait ?
Rome, depuis deux ans[2], par ses soins gouvernée,
Au temps de ses consuls croit être retournée :
Il la gouverne en père. Enfin Néron naissant
30 A toutes les vertus d'Auguste vieillissant[3].

                    AGRIPPINE
Non, non, mon intérêt ne me rend point injuste :
Il commence, il est vrai, par où finit Auguste ;
Mais crains que l'avenir détruisant le passé,
Il ne finisse ainsi qu'Auguste a commencé.
35 Il se déguise en vain : je lis sur son visage
Des fiers[4] Domitius l'humeur triste[5] et sauvage.
Il mêle avec l'orgueil qu'il a pris dans leur sang

---

1. **Généreux** : avec des sentiments conformes à son origine noble.
2. **Depuis deux ans** : Néron règne personnellement depuis deux ans ; les trois ans évoqués au vers 25 indiquent le temps écoulé depuis que l'empereur Claude l'a adopté et désigné comme son successeur au détriment de Britannicus.
3. **Auguste vieillissant** : Octave, petit-neveu de César, accéda au pouvoir par la violence en éliminant ses rivaux ; il prit le titre d'Auguste et gouverna alors avec modération pendant dix-sept ans. L'aspect magnanime de ce personnage apparaît dans le *Cinna* (1640) de Corneille.
4. **Fiers** : cruels.
5. **Triste** : farouche.

Agrippine (Micheline Hardy) et Albine (Cécilia Kankonda).
Mise en scène de Marcel Delval.
Maison des arts de Créteil, 1990.

La fierté[1] des Nérons[2] qu'il puisa dans mon flanc.
Toujours la tyrannie a d'heureuses prémices[3] :
40 De Rome, pour un temps, Caïus[4] fut les délices ;
Mais sa feinte bonté se tournant en fureur[5],
Les délices de Rome en devinrent l'horreur.
Que m'importe, après tout, que Néron, plus fidèle,

---

1. **Fierté** : cruauté.
2. **Nérons** : Agrippine rappelle ici qu'elle appartient à une grande famille, la dynastie des Julio-Claudiens, qui a fourni à Rome des empereurs célèbres pour leur cruauté et leurs excès (Tibère et Caligula, le propre frère d'Agrippine). Néron s'inscrit donc dans une lignée tragique.
3. **Prémices** : débuts.
4. **Caïus** : il s'agit de l'empereur Caligula qui régna de 37 à 41 ap. J.-C. ; il sombra dans la folie meurtrière et fut assassiné.
5. **Fureur** : folie furieuse.

D'une longue vertu laisse un jour le modèle ?
45 Ai-je mis dans sa main le timon de l'État[1]
Pour le conduire au gré du peuple et du sénat[2] ?
Ah ! que de la patrie il soit, s'il veut, le père[3] ;
Mais qu'il songe un peu plus qu'Agrippine est sa mère.
De quel nom cependant pouvons-nous appeler
50 L'attentat que le jour vient de nous révéler ?
Il sait, car leur amour[4] ne peut être ignorée,
Que de Britannicus Junie est adorée ;
Et ce même Néron, que la vertu conduit,
Fait enlever Junie au milieu de la nuit.
55 Que veut-il ? Est-ce haine, est-ce amour qui l'inspire ?
Cherche-t-il seulement le plaisir de leur nuire ?
Ou plutôt n'est-ce point que sa malignité
Punit sur eux l'appui que je leur ai prêté ?

ALBINE

Vous leur appui, Madame ?

AGRIPPINE

Arrête, chère Albine.
60 Je sais que j'ai moi seule avancé leur ruine[5] ;
Que du trône, où le sang[6] l'a dû[7] faire monter,
Britannicus par moi s'est vu précipiter.
Par moi seule éloigné de l'hymen d'Octavie,
Le frère de Junie abandonna la vie,

---

1. **Le timon de l'État** : le timon est la barre de gouvernail d'un navire ; cette métaphore souligne que c'est bien Néron qui gouverne.
2. **Du peuple et du sénat** : les deux instances du pouvoir au temps de la république de Rome.
3. **Père** : « pater patriae », père de la patrie, titre d'honneur donné à Néron par le sénat.
4. **Leur amour [...] ignorée** : au XVIIe siècle, le mot « amour » est fréquemment féminin.
5. **Ruine** : perte ; il faut prononcer ce mot avec une diérèse (ru-ine).
6. **Le sang** : la naissance.
7. **L'a dû** : aurait dû le.

65 Silanus[1], sur qui Claude avait jeté les yeux,
   Et qui comptait Auguste au rang de ses aïeux.
   Néron jouit de tout ; et moi, pour récompense[2],
   Il faut qu'entre eux et lui je tienne la balance,
   Afin que quelque jour, par une même loi,
70 Britannicus la tienne entre mon fils et moi.

ALBINE

Quel dessein !

AGRIPPINE

                Je m'assure un port dans la tempête.
   Néron m'échappera, si ce frein ne l'arrête.

ALBINE

Mais prendre contre un fils tant de soins[3] superflus ?

AGRIPPINE

Je le craindrais bientôt, s'il ne me craignait plus.

ALBINE

75 Une injuste frayeur vous alarme peut-être.
   Mais si Néron pour vous n'est plus ce qu'il doit être,
   Du moins son changement ne vient pas jusqu'à nous,
   Et ce sont des secrets entre César et vous.
   Quelques titres nouveaux que Rome lui défère,
80 Néron n'en reçoit point qu'il ne donne à sa mère.
   Sa prodigue amitié ne se réserve rien.
   Votre nom est dans Rome aussi saint que le sien.
   À peine parle-t-on de la triste Octavie.
   Auguste votre aïeul honora moins Livie[4].
85 Néron devant sa mère a permis le premier

---

1. **Silanus** : frère de Junie. Il se suicida quand Agrippine donna sa fiancée
en mariage à Néron.
2. **Pour récompense** : en compensation, en contrepartie.
3. **Soins** : précautions.
4. **Livie** : seconde épouse d'Auguste. De son premier mariage avec
T. Claudius Néron, elle a Tibère (empereur de 14 à 37 ap. J.-C.). Elle est
l'arrière-grand-mère d'Agrippine.

Qu'on portât les faisceaux couronnés de laurier[1].
Quels effets voulez-vous de sa reconnaissance ?

AGRIPPINE

Un peu moins de respect, et plus de confiance[2].
Tous ces présents, Albine, irritent[3] mon dépit :
90 Je vois mes honneurs croître, et tomber mon crédit.
Non, non, le temps n'est plus que[4] Néron, jeune encore,
Me renvoyait les vœux d'une cour qui l'adore,
Lorsqu'il se reposait sur moi de tout l'État,
Que mon ordre au palais assemblait le sénat,
95 Et que derrière un voile, invisible et présente,
J'étais de ce grand corps[5] l'âme toute-puissante.
Des volontés de Rome alors mal assuré,
Néron de sa grandeur n'était point enivré.
Ce jour, ce triste jour frappe encor ma mémoire,
100 Où Néron fut lui-même ébloui de sa gloire,
Quand les ambassadeurs de tant de rois divers
Vinrent le reconnaître au nom de l'univers.
Sur son trône avec lui j'allais prendre ma place.
J'ignore quel conseil prépara ma disgrâce :
105 Quoi qu'il en soit, Néron, d'aussi loin qu'il me vit,
Laissa sur son visage éclater son dépit.
Mon cœur même en conçut un malheureux augure.
L'ingrat, d'un faux respect colorant son injure,
Se leva par avance, et courant m'embrasser,
110 Il m'écarta du trône où je m'allais placer.
Depuis ce coup fatal, le pouvoir d'Agrippine
Vers sa chute, à grands pas, chaque jour s'achemine.

---

1. **Faisceaux couronnés de laurier** : honneurs réservés aux principaux dignitaires de l'Empire qui se déplaçaient précédés de licteurs portant un faisceau de verges.
2. **Confiance** : diérèse (con-fi-ance).
3. **Irritent** : excitent.
4. **N'est plus que** : n'est plus où ; cet emploi de « que » à la place de « où » est courant au XVIIe siècle.
5. **Ce grand corps** : le sénat.

L'ombre seule m'en reste, et l'on n'implore plus
Que le nom de Sénèque[1] et l'appui de Burrhus.

ALBINE

115 Ah ! si de ce soupçon votre âme est prévenue[2]
Pourquoi nourrissez-vous le venin qui vous tue ?
Daignez avec César vous éclaircir[3] du moins.

AGRIPPINE

César ne me voit plus, Albine, sans témoins.
En public, à mon heure, on me donne audience[4].
120 Sa réponse est dictée, et même son silence.
Je vois deux surveillants, ses maîtres et les miens,
Présider l'un ou l'autre à tous nos entretiens.
Mais je le poursuivrai d'autant plus qu'il m'évite.
De son désordre, Albine, il faut que je profite.
125 J'entends du bruit ; on ouvre. Allons subitement
Lui demander raison de cet enlèvement.
Surprenons, s'il se peut, les secrets de son âme.
Mais quoi ? déjà Burrhus sort de chez lui ?

---

1. **Sénèque** : philosophe stoïcien, il devint le précepteur de Néron avec l'appui d'Agrippine mais fut contraint au suicide en 65 ap. J.-C. après l'échec d'une conspiration contre Néron.
2. **Prévenue** : préoccupée.
3. **Vous éclaircir** : vous expliquer clairement.
4. **Audience** : diérèse (au-di-ence).

REPÈRES

• Cette scène d'exposition répond aux exigences de la tragédie classique et se présente comme un modèle du genre. Relevez les éléments qui permettent de situer précisément le lieu, la temporalité et l'action à venir.

OBSERVATION

• À partir d'exemples précis, montrez comment Racine met en place le cadre historique de sa tragédie.
• À partir de l'étude de la première tirade d'Agrippine (v. 6 à v. 14), dégagez les principaux éléments du conflit tragique qui se prépare.
• Analysez le vers 12 ; pourquoi traduit-il la transformation psychologique de Néron ?
• Pour exprimer ses griefs à l'égard de Néron, Agrippine utilise fréquemment une figure d'opposition (exemple au v. 88). Nommez ce procédé d'écriture et cherchez-en d'autres dans le discours du personnage. Quel effet produisent-ils ? Que révèlent-ils de la psychologie d'Agrippine ?
• Néron est absent physiquement de cette première scène, mais il occupe une place centrale dans les propos d'Agrippine ; qu'apporte cette présentation indirecte du personnage ?
• Dans cette scène, c'est la parole d'Agrippine qui domine : en observant les répliques d'Albine que pouvez-vous déduire de la fonction de la confidente ?

INTERPRÉTATIONS

• À partir d'exemples précis, analysez les traits majeurs de ce premier portrait d'Agrippine.
• Comment Racine installe-t-il d'emblée une tonalité tragique dans sa pièce ?

SCÈNE 2. AGRIPPINE, BURRHUS, ALBINE.

BURRHUS

Madame ?
Au nom de l'Empereur j'allais vous informer
130 D'un ordre[1] qui d'abord a pu vous alarmer,
Mais qui n'est que l'effet d'une sage conduite,
Dont César a voulu que vous soyez instruite.

AGRIPPINE
Puisqu'il le veut, entrons : il m'en instruira mieux.

BURRHUS
César pour quelque temps s'est soustrait à nos yeux.
135 Déjà par une porte au public moins connue,
L'un et l'autre consul vous avaient prévenue[2],
Madame. Mais souffrez que je retourne exprès...

AGRIPPINE
Non, je ne trouble point ses augustes secrets.
Cependant voulez-vous qu'avec moins de contrainte
140 L'un et l'autre une fois nous nous parlions sans feinte ?

BURRHUS
Burrhus pour le mensonge eut toujours trop d'horreur.

AGRIPPINE
Prétendez-vous longtemps me cacher l'Empereur ?
Ne le verrai-je plus qu'à titre d'importune ?
Ai-je donc élevé si haut votre fortune[3]
145 Pour mettre une barrière entre mon fils et moi ?
Ne l'osez-vous laisser un moment sur sa foi[4] ?
Entre Sénèque et vous disputez-vous la gloire
À qui m'effacera plus tôt de sa mémoire ?

---

1. **D'un ordre** : l'ordre d'enlever Junie.
2. **Prévenue** : précédée.
3. **Votre fortune** : c'est grâce à Agrippine que Burrhus devint le gouverneur de Néron.
4. **Ne l'osez-vous [...] sur sa foi** : vous n'osez pas lui faire confiance en le laissant agir seul.

Vous l'ai-je confié[1] pour en faire un ingrat ?
150 Pour être, sous son nom, les maîtres de l'État ?
Certes plus je médite, et moins je me figure
Que vous m'osiez compter pour votre créature,
Vous dont j'ai pu[2] laisser vieillir l'ambition[3]
Dans les honneurs obscurs de quelque légion[4],
155 Et moi qui sur le trône ai suivi mes ancêtres,
Moi, fille, femme, sœur, et mère de vos maîtres[5] !
Que prétendez-vous donc ? Pensez-vous que ma voix
Ait fait un empereur pour m'en imposer trois ?
Néron n'est plus enfant : n'est-il pas temps qu'il règne ?
160 Jusqu'à quand voulez-vous que l'Empereur vous craigne ?
Ne saurait-il rien voir qu'il n'emprunte vos yeux ?
Pour se conduire, enfin, n'a-t-il pas ses aïeux ?
Qu'il choisisse, s'il veut, d'Auguste ou de Tibère[6] ;
Qu'il imite, s'il peut, Germanicus, mon père.
165 Parmi tant de héros je n'ose me placer ;
Mais il est des vertus que je lui puis tracer.
Je puis l'instruire au moins combien sa confidence[7]
Entre un sujet et lui doit laisser de distance.

BURRHUS
Je ne m'étais chargé dans cette occasion[8]
170 Que d'excuser César d'une seule action[9].
Mais puisque sans vouloir que je le justifie
Vous me rendez garant du reste de sa vie,
Je répondrai, Madame, avec la liberté

---

1. **Confié :** diérèse (con-fi-é).
2. **J'ai pu :** j'aurais pu.
3. **Ambition :** diérèse (am-bi-ti-on).
4. **Légion :** diérèse (lé-gi-on).
5. **Maîtres :** Agrippine était fille de Germanicus, femme de Claude, sœur de Caligula, mère de Néron.
6. **Auguste [...] Tibère :** le premier devint un modèle de modération ; le second, un exemple d'excès.
7. **Confidence :** confiance.
8. **Occasion :** diérèse (oc-ca-si-on).
9. **Action :** diérèse (ac-ti-on).

D'un soldat qui sait mal farder la vérité.
175 Vous m'avez de César confié la jeunesse,
Je l'avoue, et je dois m'en souvenir sans cesse.
Mais vous avais-je fait serment de le trahir,
D'en faire un empereur qui ne sût qu'obéir ?
Non. Ce n'est plus à vous qu'il faut que j'en réponde.
180 Ce n'est plus votre fils, c'est le maître du monde.
J'en dois compte, Madame, à l'Empire romain,
Qui croit voir son salut ou sa perte en ma main.
Ah ! si dans l'ignorance il le fallait instruire,
N'avait-on que Sénèque et moi pour le séduire[1] ?
185 Pourquoi de sa conduite[2] éloigner les flatteurs ?
Fallait-il dans l'exil[3] chercher des corrupteurs ?
La cour de Claudius[4], en esclaves fertile,
Pour deux que l'on cherchait, en eût présenté mille,
Qui tous auraient brigué l'honneur de l'avilir :
190 Dans une longue enfance ils l'auraient fait vieillir.
De quoi vous plaignez-vous, Madame ? On vous révère.
Ainsi que par César, on jure[5] par sa mère.
L'Empereur, il est vrai, ne vient plus chaque jour
Mettre à vos pieds l'Empire, et grossir votre cour.
195 Mais le doit-il, Madame ? et sa reconnaissance
Ne peut-elle éclater[6] que dans sa dépendance ?
Toujours humble, toujours le timide Néron,
N'ose-t-il être Auguste et César que de nom ?
Vous le dirai-je enfin ? Rome le justifie.
200 Rome, à trois affranchis[7] si longtemps asservie,

---

1. **Séduire** : détourner du droit chemin.
2. **Conduite** : éducation morale.
3. **Exil** : Sénèque avait été rappelé de son exil en Corse par Agrippine.
4. **Claudius** : diérèse (Clau-di-us).
5. **On jure par** : on prête serment en prononçant le nom de.
6. **Éclater** : se manifester.
7. **Trois affranchis** : Calliste, Narcisse et Pallas. Ces trois anciens esclaves que l'empereur Claude avait affranchis (libérés de leur condition d'esclave) furent de véritables ministres.

À peine respirant du joug qu'elle a porté,
Du règne[1] de Néron compte sa liberté.
Que dis-je ? la vertu semble même renaître.
Tout l'Empire n'est plus la dépouille d'un maître.
205 Le peuple au Champ de Mars nomme ses magistrats ;
César nomme les chefs sur la foi des soldats ;
Thraséas[2] au sénat, Corbulon[3] dans l'armée,
Sont encore innocents, malgré leur renommée ;
Les déserts[4], autrefois peuplés de sénateurs,
210 Ne sont plus habités que par leurs délateurs.
Qu'importe que César continue à nous croire,
Pourvu que nos conseils ne tendent qu'à sa gloire ;
Pourvu que dans le cours d'un règne florissant
Rome soit toujours libre, et César tout-puissant ?
215 Mais, Madame, Néron suffit pour se conduire.
J'obéis, sans prétendre à l'honneur de l'instruire.
Sur ses aïeux sans doute il n'a qu'à se régler ;
Pour bien faire, Néron n'a qu'à se ressembler :
Heureux si ses vertus, l'une à l'autre enchaînées,
220 Ramènent tous les ans ses premières années !

AGRIPPINE

Ainsi, sur l'avenir n'osant vous assurer[5],
Vous croyez que sans vous Néron va s'égarer.
Mais vous qui jusqu'ici content de votre ouvrage
Venez de ses vertus nous rendre témoignage,
225 Expliquez-nous pourquoi, devenu ravisseur,
Néron de Silanus fait enlever la sœur.
Ne tient-il qu'à marquer de cette ignominie

---

1. **Du règne** : à partir du règne.
2. **Thraséas** : sénateur intègre, Néron le fit périr.
3. **Corbulon** : chef militaire apprécié de ses soldats, il fut également condamné à mort par Néron.
4. **Déserts** : lieux d'exil.
5. **Vous assurer sur** : avoir confiance en.

Le sang de mes aïeux qui brille dans Junie[1] ?
De quoi l'accuse-t-il ? et par quel attentat
230 Devient-elle en un jour criminelle d'État :
Elle qui sans orgueil jusqu'alors élevée,
N'aurait point vu Néron, s'il ne l'eût enlevée,
Et qui même aurait mis au rang de ses bienfaits
L'heureuse liberté de ne le voir jamais ?

BURRHUS

235 Je sais que d'aucun crime elle n'est soupçonnée ;
Mais jusqu'ici César ne l'a point condamnée,
Madame ; aucun objet ne blesse ici ses yeux :
Elle est dans un palais tout plein de ses aïeux.
Vous savez que les droits[2] qu'elle porte avec elle
240 Peuvent de son époux faire un prince rebelle ;
Que le sang[3] de César ne se doit allier[4]
Qu'à ceux à qui César le veut bien confier[5] ;
Et vous-même avoûrez[6] qu'il ne serait pas juste
Qu'on disposât sans lui de la nièce[7] d'Auguste.

AGRIPPINE

245 Je vous entends[8] : Néron m'apprend par votre voix
Qu'en vain Britannicus s'assure sur mon choix.
En vain, pour détourner les yeux de sa misère[9],
J'ai flatté son amour d'un hymen qu'il espère :
À ma confusion[10], Néron veut faire voir
250 Qu'Agrippine promet par delà son pouvoir.

---

1. **Junie** : dans sa première préface, Racine suggère que le modèle historique
de Junie (Junia Calvina) descend, selon Tacite, de « la famille d'Auguste ».
2. **Les droits** : Junie est l'unique représentante de la descendance d'Auguste.
3. **Le sang** : la lignée.
4. **Allier** : diérèse (al-li-er).
5. **Confier** : diérèse (con-fi-er).
6. **Avoûrez** : Reconnaîtrez. Au lieu de « avouerez » ; cette graphie évite une
syllabe supplémentaire.
7. **Nièce** : descendante.
8. **Entends** : comprends.
9. **Sa misère** : son malheur.
10. **À ma confusion** : pour ma honte ; diérèse (con-fu-si-on).

Rome de ma faveur est trop préoccupée[1] :
Il veut par cet affront qu'elle soit détrompée,
Et que tout l'univers apprenne avec terreur
À ne confondre plus mon fils et l'Empereur.
255 Il le peut. Toutefois j'ose encore lui dire
Qu'il doit avant ce coup affermir son empire[2],
Et qu'en me réduisant à la nécessité
D'éprouver contre lui ma faible autorité,
Il expose la sienne, et que dans la balance
260 Mon nom peut-être aura plus de poids qu'il ne pense.

BURRHUS

Quoi ? Madame. Toujours soupçonner son respect ?
Ne peut-il faire un pas qui ne vous soit suspect ?
L'Empereur vous croit-il du parti de Junie ?
Avec Britannicus vous croit-il réunie[3] ?
265 Quoi ? de vos ennemis devenez-vous l'appui
Pour trouver un prétexte à vous plaindre de lui ?
Sur le moindre discours[4] qu'on pourra vous redire,
Serez-vous toujours prête à partager[5] l'Empire ?
Vous craindrez-vous sans cesse, et vos embrassements
270 Ne se passeront-ils qu'en éclaircissements ?
Ah ! quittez d'un censeur la triste[6] diligence ;
D'une mère facile[7] affectez l'indulgence ;
Souffrez quelques froideurs sans les faire éclater[8],
Et n'avertissez point la cour de vous quitter[9].

---

1. **Préoccupée** : persuadée.
2. **Empire** : pouvoir.
3. **Réunie** : réconciliée.
4. **Discours** : propos, parole.
5. **Partager** : ici, diviser en camps rivaux.
6. **Triste** : morose.
7. **Facile** : conciliante.
8. **Sans les faire éclater** : sans les rendre publiques.
9. **N'avertissez [...] quitter** : n'apprenez pas à la cour vos conflits avec Néron.

AGRIPPINE

275 Et qui s'honorerait de l'appui d'Agrippine
Lorsque Néron lui-même annonce ma ruine[1] ?
Lorsque de sa présence il semble me bannir ?
Quand Burrhus à sa porte ose me retenir ?

BURRHUS

Madame, je vois bien qu'il est temps de me taire,
280 Et que ma liberté[2] commence à vous déplaire.
La douleur est injuste, et toutes les raisons
Qui ne la flattent point aigrissent[3] ses soupçons.
Voici Britannicus. Je lui cède ma place.
Je vous laisse écouter et plaindre sa disgrâce[4],
285 Et peut-être, Madame, en accuser les soins[5]
De ceux que l'Empereur a consultés le moins.

1. **Ruine :** diérèse (ru-ine).
2. **Liberté :** franchise.
3. **Aigrissent :** aggravent.
4. **Disgrâce :** malheur.
5. **Soins :** efforts.

REPÈRES

• Cette scène prolonge la précédente, présente le personnage de Burrhus et entre directement dans la logique du conflit et de l'affrontement ; montrez comment le plaidoyer de Burrhus en faveur de Néron permet à Racine l'exposition d'une perspective historique et familiale.

OBSERVATION

• Relevez les principales étapes de la première tirade de Burrhus (v. 169 à v. 220) ; quels en sont les enjeux majeurs ?
• Pourquoi, selon vous, Burrhus appelle-t-il fréquemment Néron « César » ?
• Quel rôle Agrippine attribue-t-elle à Burrhus (v. 142 à v. 168) ?
• « *Ce n'est plus votre fils, c'est le maître du monde* », déclare Burrhus (v. 180) ; analysez la structure de cet alexandrin et dites en quoi il résume les inquiétudes d'Agrippine.
• Pensez-vous que l'action a progressé à la fin de cette scène ?

INTERPRÉTATIONS

• Étudiez comment cette scène enrichit le portrait d'Agrippine, précise son contour psychologique et révèle ses motivations profondes.
• Montrez comment, tout en assurant la défense de Néron, Burrhus ménage Agrippine ; quelle place prend-il ainsi dans le processus conflictuel ?

SCÈNE 3. AGRIPPINE, BRITANNICUS, NARCISSE, ALBINE.

AGRIPPINE

Ah, Prince ! où courez-vous ? Quelle ardeur inquiète[1]
Parmi vos ennemis en aveugle vous jette ?
Que venez-vous chercher ?

BRITANNICUS

             Ce que je cherche ? Ah, Dieux !
290 Tout ce que j'ai perdu, Madame, est en ces lieux.
De mille affreux soldats Junie environnée
S'est vue en ce palais indignement traînée.
Hélas ! de quelle horreur ses timides esprits[2]
À ce nouveau[3] spectacle auront été surpris !
295 Enfin on me l'enlève. Une loi trop sévère
Va séparer deux cœurs qu'assemblait leur misère.
Sans doute on ne veut pas que mêlant nos douleurs
Nous nous aidions l'un l'autre à porter nos malheurs.

AGRIPPINE

Il suffit. Comme vous je ressens vos injures[4] :
300 Mes plaintes ont déjà précédé vos murmures ;
Mais je ne prétends pas qu'un impuissant courroux
Dégage ma parole et m'acquitte envers vous.
Je ne m'explique point. Si vous voulez m'entendre,
Suivez-moi chez Pallas[5], où je vais vous attendre.

---

1. **Inquiète :** qui agite, qui tourmente ; diérèse (in-qui-ète).
2. **Esprits :** cœur, sentiments.
3. **Nouveau :** extraordinaire.
4. **Injures :** injustices causées.
5. **Pallas :** cet affranchi participa, avec Agrippine, à l'empoisonnement de l'empereur Claude ; il mourut empoisonné sur ordre de Néron.

SCÈNE 4. BRITANNICUS, NARCISSE.

BRITANNICUS

305 La croirai-je, Narcisse ? et dois-je sur sa foi[1]
La prendre pour arbitre entre son fils et moi ?
Qu'en dis-tu ? N'est-ce pas cette même Agrippine
Que mon père épousa jadis pour sa ruine[2],
Et qui, si je t'en crois, a de ses derniers jours,
310 Trop lents pour ses desseins, précipité le cours[3] ?

NARCISSE

N'importe. Elle se sent comme vous outragée ;
À vous donner Junie elle s'est engagée :
Unissez vos chagrins ; liez vos intérêts.
Ce palais retentit en vain de vos regrets :
315 Tandis qu'on[4] vous verra d'une voix suppliante
Semer ici la plainte et non pas l'épouvante,
Que vos ressentiments se perdront en discours,
Il n'en faut point douter, vous vous plaindrez toujours.

BRITANNICUS

Ah ! Narcisse, tu sais si de la servitude
320 Je prétends[5] faire encore une longue habitude ;
Tu sais si pour jamais, de ma chute étonné[6],
Je renonce à l'Empire, où[7] j'étais destiné.
Mais je suis seul encor. Les amis de mon père
Sont autant d'inconnus que glace ma misère.
325 Et ma jeunesse même écarte loin de moi
Tous ceux qui dans le cœur me réservent leur foi.

---

1. **Sa foi** : sa parole.
2. **Ruine** : diérèse (ru-ine).
3. **Cours** : vie. Britannicus fait allusion à la mort de son père, l'empereur Claude, probablement empoisonné par Agrippine.
4. **Tandis que** : aussi longtemps que.
5. **Je prétends** : je compte, j'ai l'intention de.
6. **Étonné** : stupéfait, abasourdi.
7. **Où** : auquel.

Pour moi, depuis un an qu'un peu d'expérience[1]
M'a donné de mon sort la triste connaissance,
Que vois-je autour de moi, que[2] des amis vendus
330 Qui sont de tous mes pas les témoins assidus,
Qui choisis par Néron pour ce commerce infâme,
Trafiquent avec lui des secrets de mon âme ?
Quoi qu'il en soit, Narcisse, on me vend tous les jours :
Il prévoit mes desseins, il entend mes discours ;
335 Comme toi, dans mon cœur il sait ce qui se passe.
Que t'en semble, Narcisse ?

NARCISSE
        Ah ! quelle âme assez basse...
C'est à vous de choisir des confidents discrets,
Seigneur, et de ne pas prodiguer vos secrets.

BRITANNICUS
Narcisse, tu dis vrai. Mais cette défiance[3]
340 Est toujours d'un grand cœur[4] la dernière science[5] :
On le trompe longtemps. Mais enfin je te croi[6],
Ou plutôt je fais vœu de ne croire que toi.
Mon père, il m'en souvient, m'assura de ton zèle.
Seul de ses affranchis[7] tu m'es toujours fidèle ;
345 Tes yeux, sur ma conduite incessamment ouverts,
M'ont sauvé jusqu'ici de mille écueils couverts[8]
Va donc voir si le bruit de ce nouvel orage[9]
Aura de nos amis excité le courage.

---

1. **Expérience :** diérèse (ex-pé-ri-ence).
2. **Que :** sinon.
3. **Défiance :** diérèse (dé-fi-ance).
4. **Un grand cœur :** une âme noble.
5. **Science :** diérèse (sci-ence).
6. **Croi :** au lieu de « crois », orthographe admise uniquement pour les besoins de la rime visuelle.
7. **Ses affranchis :** voir la note 7 p. 59.
8. **Couverts :** cachés.
9. **Orage :** allusion à l'enlèvement de Junie par Néron.

Examine leurs yeux, observe leurs discours ;
350 Vois si j'en puis attendre un fidèle secours.
Surtout dans ce palais remarque avec adresse
Avec quel soin Néron fait garder la Princesse.
Sache si du péril ses beaux yeux sont remis,
Et si son entretien[1] m'est encore permis.
355 Cependant de Néron je vais trouver la mère
Chez Pallas, comme toi l'affranchi de mon père[2].
Je vais la voir, l'aigrir[3], la suivre, et, s'il se peut,
M'engager sous son nom plus loin qu'elle ne veut.

---

1. **Son entretien** : la conversation avec elle.
2. **Chez Pallas [...] père** : voir la note 7 p. 59 et la note 5 p. 65.
3. **Aigrir** : exaspérer.

REPÈRES

• Ces deux courtes scènes clôturent l'acte I ; l'exposition se poursuit avec la présentation de Britannicus, le personnage-titre, et de Narcisse, son gouverneur. Vers quel problème l'arrivée de Britannicus fait-elle évoluer l'action ?

OBSERVATION

• L'apparition de Britannicus révèle un personnage tourmenté ; étudiez à travers sa tirade de la scène 3 l'expression de son désarroi.
• En quoi les propos de Britannicus font-ils évoluer la tonalité de la pièce ?
• Analysez la nature des relations entre Agrippine et Britannicus.
• Que laisse supposer le discours d'Agrippine aux vers 299-304 ? Quelles indications fournit-il sur la psychologie du personnage ? Que ménage-t-il du point de vue de la progression dramatique ?
• Dans la scène 4, comment caractérisez-vous la réaction de Britannicus face à la nouvelle attitude d'Agrippine ?
• Relevez et commentez les éléments qui confèrent à Britannicus une dimension politique. Que laissent-ils présager ?
Commentez les réflexions de Britannicus aux vers 327-336 et la réponse de Narcisse aux vers 336-338.

INTERPRÉTATIONS

• Faites le portrait de Britannicus.
• Analysez la manière dont Racine mêle les enjeux privés, passionnels et politiques dans ces deux scènes.
• En quoi cette première apparition de Britannicus justifie-t-elle le titre de l'œuvre ?

Un modèle du genre

L'acte d'exposition de *Britannicus* répond parfaitement aux règles de la tragédie et s'impose comme un modèle du genre. En effet, la didascalie qui suit la liste des personnages (« la dramatis personae ») précise déjà le lieu et renvoie à un temps historique précis : « *La scène est à Rome, dans une chambre du palais de Néron.* » ; l'action débute au matin (v. 1-2) et les différents conflits qui vont l'animer sont formulés d'emblée par Agrippine, un des personnages principaux (v. 9-14). Les quatre scènes qui composent ce premier acte vont permettre au dramaturge à la fois d'indiquer la nature de ces conflits, d'esquisser la psychologie des protagonistes et de donner au lecteur une première approche de la complexité et de l'intensité des enjeux sans toutefois les développer.

Deux personnages en lutte

Immédiatement l'acte I installe l'action sur le mode conflictuel, ressort principal de l'univers tragique : Agrippine engage une lutte pour un pouvoir qu'elle a mis en place mais qu'elle sent lui échapper tandis que Britannicus, être dépossédé de son pouvoir politique et de la femme qu'il aime, exprime ses velléités de lutte.

Deux confidents troubles

Burrhus et Narcisse, les gouverneurs respectifs de Néron et de Britannicus, par l'habileté de leur rhétorique (scènes 2 et 4), suggèrent des personnages troubles et contribuent à mettre en place une atmosphère inquiétante qui rappelle les manœuvres et les intrigues de cour dans la Rome du Haut Empire.

Deux absents omniprésents

L'empereur Néron et Junie, absents du premier acte, mais omniprésents dans le discours des personnages, surtout Néron, incarnent les deux pôles antagonistes du conflit tragique : Néron représente déjà le tyran exerçant un pouvoir dont tout dépend : politique, amour, famille ; en revanche, Junie, enjeu passionnel et politique, apparaît comme une possible victime de ce pouvoir.

ACTE II

Scène première. Néron, Burrhus, Narcisse, Gardes.

NÉRON

N'en doutez point, Burrhus : malgré ses injustices,
360 C'est ma mère, et je veux ignorer ses caprices.
Mais je ne prétends plus ignorer ni souffrir
Le ministre insolent qui les ose nourrir.
Pallas de ses conseils empoisonne ma mère ;
Il séduit[1] chaque jour Britannicus mon frère.
365 Ils l'écoutent tout seul ; et qui suivrait leurs pas
Les trouverait peut-être assemblés chez Pallas.
C'en est trop. De tous deux il faut que je l'écarte.
Pour la dernière fois, qu'il s'éloigne, qu'il parte :
Je le veux, je l'ordonne ; et que la fin du jour
370 Ne le retrouve pas dans Rome ou dans ma cour.
Allez : cet ordre importe au salut de l'Empire.
Vous, Narcisse, approchez. Et vous[2], qu'on se retire.

Scène 2. Néron, Narcisse.

NARCISSE

Grâces aux Dieux, Seigneur, Junie entre vos mains
Vous assure aujourd'hui du reste des Romains.

---

1. **Séduit** : détourne du droit chemin.
2. **Et vous** : Néron s'adresse aux gardes, il veut rester seul avec Narcisse, gouverneur de Britannicus, qui joue double jeu.

375 Vos ennemis, déchus[1] de leur vaine espérance,
Sont allés chez Pallas pleurer leur impuissance.
Mais que vois-je ? Vous-même, inquiet[2], étonné,
Plus que Britannicus paraissez consterné.
Que présage à mes yeux cette tristesse obscure[3]
380 Et ces sombres regards errants[4] à l'aventure ?
Tout vous rit : la fortune obéit à vos vœux.

NÉRON

Narcisse, c'en est fait, Néron est amoureux.

NARCISSE

Vous ?

NÉRON

Depuis un moment, mais pour toute ma vie
J'aime (que dis-je aimer ?), j'idolâtre Junie.

NARCISSE

385 Vous l'aimez ?

NÉRON

Excité d'un désir curieux[5],
Cette nuit je l'ai vue arriver en ces lieux,
Triste, levant au ciel ses yeux mouillés de larmes,
Qui brillaient au travers des flambeaux et des armes :
Belle, sans ornements, dans le simple appareil[6]
390 D'une beauté qu'on vient d'arracher au sommeil.
Que veux-tu ? Je ne sais si cette négligence,
Les ombres, les flambeaux, les cris et le silence,
Et le farouche aspect de ses fiers[7] ravisseurs

---

1. **Déchus** : privés.
2. **Inquiet** : qui ne peut trouver le repos ; diérèse (in-qui-et).
3. **Obscure** : qui vous rend sombre.
4. **Errants** : s'accorde avec « regards » car il était considéré comme un adjectif ; aujourd'hui ce participe serait considéré comme un verbe et s'écrirait « errant ».
5. **Curieux** : diérèse (cu-ri-eux).
6. **Appareil** : tenue vestimentaire, toilette.
7. **Fiers** : cruels, féroces.

Relevaient[1] de ses yeux les timides douceurs.
395 Quoi qu'il en soit, ravi[2] d'une si belle vue,
J'ai voulu lui parler, et ma voix s'est perdue :
Immobile, saisi d'un long étonnement[3],
Je l'ai laissé[4] passer dans son appartement.
J'ai passé dans le mien. C'est là que solitaire,
400 De son image en vain j'ai voulu me distraire[5] :
Trop présente[6] à mes yeux, je croyais lui parler ;
J'aimais jusqu'à ses pleurs que je faisais couler.
Quelquefois, mais trop tard, je lui demandais grâce ;
J'employais les soupirs[7], et même la menace.
405 Voilà comme, occupé[8] de mon nouvel amour,
Mes yeux, sans se fermer, ont attendu le jour.
Mais je m'en fais peut-être une trop belle image ;
Elle m'est apparue avec trop d'avantage :
Narcisse, qu'en dis-tu ?

                    NARCISSE
                    Quoi ? Seigneur, croira-t-on
410 Qu'elle ait pu si longtemps se cacher à Néron ?

                    NÉRON
Tu le sais bien, Narcisse. Et soit que sa colère
M'imputât le malheur qui lui ravit son frère ;
Soit que son cœur, jaloux d'une[9] austère fierté,
Enviât[10] à nos yeux sa naissante beauté ;
415 Fidèle à sa douleur, et dans l'ombre enfermée,

---

1. **Relevaient** : rehaussaient.
2. **Ravi** : exalté.
3. **Étonnement** : stupéfaction (comme frappé d'un coup de tonnerre).
4. **Laissé** : Racine n'accorde pas le participe ; aujourd'hui il faudrait écrire « laissée ».
5. **Me distraire** : détourner mon esprit.
6. **Présente** : se rapporte à « lui », mis pour « image ».
7. **Soupirs** : manifestations d'un amour passionné.
8. **Occupé** : s'accorde selon le sens avec « je » et non avec le sujet grammatical « mes yeux ».
9. **Jaloux d'une** : trop attaché à une.
10. **Enviât** : refusât.

Elle se dérobait même à sa renommée.
Et c'est cette vertu, si nouvelle[1] à la cour,
Dont la persévérance irrite mon amour.
Quoi, Narcisse ? Tandis qu'il n'est point de Romaine
420 Que mon amour n'honore et ne rende plus vaine,
Qui dès qu'à ses regards elle ose se fier,
Sur le cœur de César ne les vienne essayer :
Seule dans son palais la modeste Junie
Regarde leurs honneurs comme une ignominie,
425 Fuit, et ne daigne pas peut-être s'informer
Si César est aimable[2], ou bien s'il sait aimer ?
Dis-moi : Britannicus l'aime-t-il ?

NARCISSE

Quoi ! s'il l'aime,
Seigneur ?

NÉRON

Si jeune encor, se connaît-il lui-même ?
D'un regard enchanteur[3] connaît-il le poison ?

NARCISSE

430 Seigneur, l'amour toujours n'attend pas la raison.
N'en doutez point, il l'aime. Instruits par tant de charmes,
Ses yeux sont déjà faits à l'usage des larmes.
À ses moindres désirs il sait s'accommoder[4] ;
Et peut-être déjà sait-il persuader.

NÉRON

435 Que dis-tu ? Sur son cœur il aurait quelque empire ?

NARCISSE

Je ne sais ; mais, Seigneur, ce que je puis vous dire,
Je l'ai vu quelquefois s'arracher de ces lieux,
Le cœur plein d'un courroux qu'il cachait à vos yeux.
D'une cour qui le fuit pleurant l'ingratitude,

---

1. **Nouvelle :** inconnue.
2. **Aimable :** digne d'être aimé.
3. **Enchanteur :** ensorceleur.
4. **S'accommoder :** se conformer.

440 Las de votre grandeur et de sa servitude,
Entre l'impatience[1] et la crainte flottant :
Il allait voir Junie, et revenait content.

NÉRON

D'autant plus malheureux qu'il aura su lui plaire,
Narcisse, il doit plutôt souhaiter sa colère.
445 Néron impunément[2] ne sera pas jaloux.

NARCISSE

Vous ? Et de quoi, Seigneur, vous inquiétez[3]-vous ?
Junie a pu le plaindre et partager ses peines :
Elle n'a vu couler de larmes que les siennes.
Mais, aujourd'hui, Seigneur, que ses yeux dessillés[4],
450 Regardant de plus près l'éclat dont vous brillez,
Verront autour de vous les rois sans diadème,
Inconnus dans la foule, et son amant lui-même,
Attachés sur vos yeux s'honorer d'un regard
Que vous aurez sur eux fait tomber au hasard ;
455 Quand elle vous verra, de ce degré de gloire,
Venir en soupirant avouer sa victoire :
Maître, n'en doutez point, d'un cœur déjà charmé[5],
Commandez qu'on vous aime, et vous serez aimé.

NÉRON

À combien de chagrins il faut que je m'apprête !
460 Que d'importunités !

NARCISSE

                    Quoi donc ? qui vous arrête,
Seigneur ?

NÉRON

        Tout : Octavie, Agrippine, Burrhus,
Sénèque, Rome entière, et trois ans de vertu.

---

1. **Impatience** : révolte ; diérèse (im-pa-ti-ence).
2. **Impunément** : sans se venger.
3. **Inquiétez** : diérèse (in-qui-é-tez).
4. **Dessillés** : ouverts, sortis de leur aveuglement.
5. **Charmé** : captivé.

Non que pour Octavie un reste de tendresse
M'attache à son hymen et plaigne sa jeunesse.
465 Mes yeux, depuis longtemps fatigués de ses soins,
Rarement de ses pleurs daignent être témoins :
Trop heureux si bientôt la faveur d'un divorce
Me soulageait d'un joug qu'on m'imposa par force !
Le ciel même en secret semble la condamner :
470 Ses vœux, depuis quatre ans, ont beau l'importuner,
Les Dieux ne montrent point que sa vertu les touche :
D'aucun gage, Narcisse, ils n'honorent sa couche[1] ;
L'Empire vainement demande un héritier.

NARCISSE

Que[2] tardez-vous, Seigneur, à la répudier ?
475 L'Empire, votre cœur, tout condamne Octavie.
Auguste, votre aïeul, soupirait pour Livie :
Par un double divorce ils s'unirent tous deux[3] ;
Et vous devez l'Empire à ce divorce heureux[4].
Tibère, que l'hymen plaça dans sa famille,
480 Osa bien à ses yeux répudier sa fille[5].
Vous seul, jusques ici contraire à vos désirs,
N'osez par un divorce assurer vos plaisirs.

NÉRON

Et ne connais-tu pas l'implacable Agrippine ?
Mon amour inquiet[6] déjà se l'imagine
485 Qui m'amène Octavie, et d'un œil enflammé
Atteste les saints droits d'un nœud qu'elle a formé,
Et portant à mon cœur des atteintes plus rudes,

---

1. **D'aucun gage [...] couche** : la stérilité était considérée comme une punition des Dieux ; celle d'Octavie sera le motif de sa répudiation par Néron.
2. **Que** : pourquoi.
3. **Par un double [...] tous deux** : voir le tableau généalogique (p. 202).
4. **Et vous [...] heureux** : voir également le tableau généalogique (p. 202).
5. **Répudier sa fille** : Julie, fille d'Auguste et de Scribonie ; en fait, la répudiation fut ordonnée par Auguste lui-même ; diérèse (ré-pu-di-er).
6. **Inquiet** : diérèse (in-qui-et).

Me fait un long récit de mes ingratitudes.
De quel front soutenir ce fâcheux entretien ?

NARCISSE

490 N'êtes-vous pas, Seigneur, votre maître et le sien ?
Vous verrons-nous toujours trembler sous sa tutelle ?
Vivez, régnez pour vous : c'est trop régner pour elle.
Craignez-vous ? Mais, Seigneur, vous ne la craignez pas :
Vous venez de bannir le superbe[1] Pallas,
495 Pallas dont vous savez qu'elle soutient l'audace.

NÉRON

Éloigné de ses yeux, j'ordonne, je menace,
J'écoute vos conseils, j'ose les approuver ;
Je m'excite contre elle, et tâche à[2] la braver.
Mais (je t'expose ici mon âme toute nue)
500 Sitôt que mon malheur me ramène à sa vue,
Soit que je n'ose encor démentir le pouvoir
De ces yeux où j'ai lu si longtemps mon devoir ;
Soit qu'à tant de bienfaits ma mémoire fidèle
Lui soumette en secret tout ce que je tiens d'elle,
505 Mais enfin mes efforts ne me servent de[3] rien ;
Mon Génie[4] étonné tremble devant le sien.
Et c'est pour m'affranchir de cette dépendance,
Que je la fuis partout, que même je l'offense,
Et que de temps en temps j'irrite ses ennuis
510 Afin qu'elle m'évite autant que je la fuis.
Mais je t'arrête trop. Retire-toi, Narcisse :
Britannicus pourrait t'accuser d'artifice[5].

---

1. **Superbe** : orgueilleux.
2. **Tâche à** : tâche de.
3. **De** : à.
4. **Mon Génie** : mon « ange gardien » ; chez les Romains, chaque personnalité était régie par une divinité.
5. **Artifice** : trahison.

NARCISSE

Non, non, Britannicus s'abandonne à ma foi.
Par son ordre, Seigneur, il croit que je vous voi[1],
515 Que je m'informe ici de tout ce qui le touche,
Et veut de vos secrets être instruit par ma bouche.
Impatient[2] surtout de revoir ses amours,
Il attend de mes soins ce fidèle secours.

NÉRON

J'y consens, porte-lui cette douce nouvelle :
520 Il la verra.

NARCISSE

Seigneur, bannissez-le loin d'elle.

NÉRON

J'ai mes raisons, Narcisse ; et tu peux concevoir
Que je lui vendrai cher le plaisir de la voir.
Cependant[3] vante-lui ton heureux stratagème :
Dis-lui qu'en sa faveur on me trompe moi-même,
525 Qu'il la voit sans mon ordre. On ouvre : la voici.
Va retrouver ton maître, et l'amener ici.

---

1. **Voi** : au lieu de « vois » ; il s'agit d'une rime pour l'œil.
2. **Impatient** : diérèse (im-pa-ti-ent).
3. **Cependant** : pendant ce temps.

Repères

• Absent physiquement du premier acte, Néron apparaît ici ; en comparant sa première tirade avec celle d'Agrippine dans la scène 1 de l'acte précédent (v. 6 à v. 14), vous mettrez en évidence les éléments conflictuels qui se précisent entre les deux personnages.

Observation

• En vous appuyant sur l'analyse des champs lexicaux et des modes verbaux, vous direz quelle impression première produit le personnage de Néron aux vers 359-372.
• Comment l'intrigue politique et l'intrigue amoureuse viennent-elles se nouer dans la scène 2 ?
• Analysez l'expression du sentiment amoureux dans les deux tirades de Néron (v. 385-409 et v. 411-427).
• En quoi le discours de Néron sur Agrippine révèle-t-il des liens troubles (v. 483-510) ?
• Dans la scène 2, Narcisse dévoile sa traîtrise ; montrez comment, par ses suggestions, il pousse Néron à devenir « un monstre ». À la lumière de cette révélation, commentez les vers 336-337 de la scène 4 de l'acte I. Sur le plan dramaturgique, qu'apporte cette révélation ?

Interprétations

• Ces deux scènes offrent un nouvel éclairage sur Néron, seulement présenté dans l'acte I. Analysez la complexité du personnage.
• En mêlant deux intrigues, politique et passionnelle, Racine respecte-t-il le principe de l'« action simple » qu'il défendra l'année suivante dans la préface de *Bérénice* ?
• Faites une lecture méthodique des vers 459-489 à partir des trois axes d'étude suivants : 1) Néron, un personnage hésitant ; 2) amour et politique ; 3) Néron, Narcisse, un duo pervers.

SCÈNE 3. NÉRON, JUNIE.

NÉRON

Vous vous troublez, Madame, et changez de visage.
Lisez-vous dans mes yeux quelque triste présage ?

JUNIE

Seigneur, je ne vous puis déguiser mon erreur :
530 J'allais voir Octavie, et non pas l'Empereur.

NÉRON

Je le sais bien, Madame, et n'ai pu sans envie
Apprendre vos bontés pour l'heureuse Octavie.

JUNIE

Vous, Seigneur ?

NÉRON

        Pensez-vous, Madame, qu'en ces lieux
Seule pour vous connaître Octavie ait des yeux ?

JUNIE

535 Et quel autre, Seigneur, voulez-vous que j'implore ?
À qui demanderai-je un crime que j'ignore ?
Vous qui le punissez, vous ne l'ignorez pas.
De grâce, apprenez-moi, Seigneur, mes attentats.

NÉRON

Quoi, Madame ! Est-ce donc une légère offense
540 De m'avoir si longtemps caché votre présence ?
Ces trésors dont le ciel voulut vous embellir,
Les avez-vous reçus pour les ensevelir ?
L'heureux Britannicus verra-t-il sans alarmes
Croître, loin de nos yeux, son amour et vos charmes ?
545 Pourquoi, de cette gloire exclus[1] jusqu'à ce jour,

---

1. **Exclus** : orthographe en usage au XVIIᵉ siècle ; depuis le Dictionnaire de l'Académie française de 1835, « exclu » est l'orthographe prescrite.

M'avez-vous, sans pitié, relégué dans ma cour ?
On dit plus : vous souffrez[1] sans en être offensée
Qu'il vous ose, Madame, expliquer[2] sa pensée.
Car je ne croirai point que sans me consulter
550 La sévère Junie ait voulu le flatter,
Ni qu'elle ait consenti d'aimer et d'être aimée,
Sans que j'en sois instruit que[3] par la renommée.

JUNIE

Je ne vous nîrai[4] point, Seigneur, que ses soupirs
M'ont daigné quelquefois expliquer ses désirs.
555 Il n'a point détourné ses regards d'une fille
Seul reste du débris[5] d'une illustre famille.
Peut-être il se souvient qu'en un temps plus heureux
Son père me nomma pour l'objet de ses vœux.
Il m'aime ; il obéit à l'Empereur son père,
560 Et j'ose dire encore à vous, à votre mère.
Vos désirs sont toujours si conformes aux siens...

NÉRON

Ma mère a ses desseins, Madame, et j'ai les miens.
Ne parlons plus ici de Claude et d'Agrippine :
Ce n'est point par leur choix que je me détermine.
565 C'est à moi seul, Madame, à répondre de vous ;
Et je veux de ma main vous choisir un époux.

JUNIE

Ah ! Seigneur, songez-vous que toute autre alliance
Fera honte aux Césars auteurs de ma naissance ?

NÉRON

Non, Madame, l'époux dont je vous entretiens
570 Peut sans honte assembler vos aïeux et les siens :

---

1. **Souffrez** : supportez.
2. **Expliquer** : déclarer nettement (ici, son amour).
3. **Que** : autrement que.
4. **Nîrai** : nierai (la graphie originale permettait de respecter le nombre de syllabes).
5. **Débris** : ruine.

Vous pouvez, sans rougir, consentir à sa flamme[1].

JUNIE

Et quel est donc, Seigneur, cet époux ?

NÉRON

Moi, Madame.

JUNIE

Vous ?

NÉRON

Je vous nommerais, Madame, un autre nom,
Si j'en savais quelque autre au-dessus de Néron.
575 Oui, pour vous faire un choix où vous puissiez souscrire,
J'ai parcouru des yeux la cour, Rome et l'Empire.
Plus j'ai cherché, Madame, et plus je cherche encor
En quelles mains je dois confier ce trésor,
Plus je vois que César, digne seul de vous plaire,
580 En doit être lui seul l'heureux dépositaire,
Et ne peut dignement vous confier[2] qu'aux mains
À qui Rome a commis[3] l'empire des humains.
Vous-même, consultez[4] vos premières années.
Claudius[5] à son fils[6] les avait destinées ;
585 Mais c'était en un temps où de l'Empire entier
Il croyait quelque jour le nommer l'héritier.
Les Dieux ont prononcé. Loin de leur contredire[7],
C'est à vous de passer du côté de l'Empire.
En vain de ce présent ils m'auraient honoré,
590 Si votre cœur devait en être séparé ;
Si tant de soins ne sont adoucis par vos charmes ;
Si tandis que je donne aux veilles, aux alarmes

---

1. **Sa flamme** : son amour (image du langage galant).
2. **Confier** : diérèse (con-fi-er).
3. **Commis** : confié.
4. **Consultez** : examinez.
5. **Claudius** : diérèse (Clau-di-us).
6. **Son fils** : Britannicus.
7. **De leur contredire** : de s'opposer à eux.

Des jours toujours à plaindre et toujours enviés[1],
Je ne vais quelquefois respirer[2] à vos pieds.
595 Qu'Octavie à vos yeux ne fasse point d'ombrage :
Rome, aussi bien que moi, vous donne son suffrage,
Répudie Octavie, et me fait dénouer
Un hymen que le ciel ne veut point avouer[3].
Songez-y donc, Madame, et pesez en vous-même
600 Ce choix digne des soins d'un prince qui vous aime,
Digne de vos beaux yeux trop longtemps captivés[4],
Digne de l'univers à qui vous vous devez.

JUNIE

Seigneur, avec raison je demeure étonnée.
Je me vois, dans le cours d'une même journée,
605 Comme une criminelle amenée en ces lieux ;
Et lorsque avec frayeur je parais à vos yeux,
Que sur mon innocence à peine je me fie,
Vous m'offrez tout d'un coup la place d'Octavie.
J'ose dire pourtant que je n'ai mérité
610 Ni cet excès d'honneur, ni cette indignité.
Et pouvez-vous, Seigneur, souhaiter qu'une fille
Qui vit presque en naissant éteindre sa famille,
Qui dans l'obscurité nourrissant sa douleur,
S'est fait une vertu conforme à son malheur,
615 Passe subitement de cette nuit profonde
Dans un rang qui l'expose aux yeux de tout le monde,
Dont je n'ai pu de loin soutenir la clarté,
Et dont une autre[5] enfin remplit la majesté ?

NÉRON

Je vous ai déjà dit que je la répudie.
620 Ayez moins de frayeur, ou moins de modestie.

———————

1. **Enviés** : diérèse (en-vi-és).
2. **Respirer** : prendre du repos.
3. **Avouer** : reconnaître, voir la note 6 p. 61.
4. **Captivés** : sous-entendu « éloignés de la cour ».
5. **Une autre** : Octavie.

N'accusez point ici mon choix d'aveuglement ;
Je vous réponds de vous : consentez seulement.
Du sang[1] dont vous sortez rappelez la mémoire ;
Et ne préférez point à la solide gloire
625 Des honneurs dont César prétend vous revêtir,
La gloire d'un refus, sujet au repentir.

JUNIE

Le ciel connaît, Seigneur, le fond de ma pensée.
Je ne me flatte point d'une gloire insensée :
Je sais de vos présents mesurer la grandeur ;
630 Mais plus ce rang sur moi répandrait de splendeur,
Plus il me ferait honte, et mettrait en lumière
Le crime d'en avoir dépouillé l'héritière.

NÉRON

C'est de ses intérêts prendre beaucoup de soin,
Madame ; et l'amitié ne peut aller plus loin.
635 Mais ne nous flattons point, et laissons le mystère.
La sœur vous touche ici beaucoup moins que le frère ;
Et pour Britannicus...

JUNIE

Il a su me toucher,
Seigneur ; et je n'ai point prétendu m'en cacher.
Cette sincérité sans doute est peu discrète ;
640 Mais toujours de mon cœur ma bouche est l'interprète.
Absente de la cour, je n'ai pas dû[2] penser,
Seigneur, qu'en l'art de feindre il fallût m'exercer.
J'aime Britannicus. Je lui fus destinée
Quand l'Empire devait suivre son hyménée[3].
645 Mais ces mêmes malheurs qui l'en ont écarté,
Ses honneurs abolis, son palais déserté,
La fuite d'une cour que sa chute a bannie,

---

1. **Du sang** : de la lignée.
2. **Je n'ai pas dû** : je n'ai pas été obligé de.
3. **Son hyménée** : son mariage avec moi.

Sont autant de liens[1] qui retiennent Junie.
Tout ce que vous voyez conspire à vos désirs[2] ;
650 Vos jours toujours sereins coulent dans les plaisirs.
L'Empire en est pour vous l'inépuisable source ;
Ou si quelque chagrin en interrompt la course[3],
Tout l'univers, soigneux de les entretenir,
S'empresse à l'effacer de votre souvenir.
655 Britannicus est seul. Quelque ennui qui le presse[4],
Il ne voit dans son sort que moi qui s'intéresse[5],
Et n'a pour tous plaisirs, Seigneur, que quelques pleurs
Qui lui font quelquefois oublier ses malheurs.

NÉRON

Et ce sont ces plaisirs et ces pleurs que j'envie,
660 Que tout autre que lui me paîrait[6] de sa vie.
Mais je garde à ce prince un traitement plus doux.
Madame, il va bientôt paraître devant vous.

JUNIE

Ah ! Seigneur, vos vertus m'ont toujours rassurée.

NÉRON

Je pouvais de ces lieux lui défendre l'entrée ;
665 Mais, Madame, je veux prévenir le danger
Où son ressentiment le pourrait engager.
Je ne veux point le perdre[7]. Il vaut mieux que lui-même
Entende son arrêt de la bouche qu'il aime.
Si ses jours vous sont chers, éloignez-le de vous
670 Sans qu'il ait aucun lieu de me croire jaloux.
De son bannissement prenez sur vous l'offense ;

---

1. **Liens** : diérèse (li-ens).
2. **Conspire à vos désirs** : contribue à satisfaire vos désirs.
3. **La course** : le cours.
4. **Ennui qui le presse** : tourment qui l'accable.
5. **Il ne voit [...] intéresse** : il ne voit que moi qui s'intéresse à son sort.
6. **Paîrait** : au lieu de « paierait » pour respecter la mesure de l'alexandrin.
7. **Le perdre** : le faire périr.

Et soit par vos discours, soit par votre silence,
Du moins par vos froideurs, faites-lui concevoir
Qu'il doit porter ailleurs ses vœux et son espoir.

JUNIE

675 Moi ! Que je lui prononce un arrêt si sévère !
Ma bouche mille fois lui jura le contraire.
Quand même[1] jusque-là je pourrais me trahir,
Mes yeux lui défendront, Seigneur, de m'obéir.

NÉRON

Caché près de ces lieux, je vous verrai, Madame.
680 Renfermez votre amour dans le fond de votre âme.
Vous n'aurez point pour moi de langages secrets :
J'entendrai[2] des regards que vous croirez muets ;
Et sa perte sera l'infaillible salaire[3]
D'un geste ou d'un soupir échappé pour lui plaire.

JUNIE

685 Hélas ! si j'ose encor former quelques souhaits,
Seigneur, permettez-moi de ne le voir jamais.

SCÈNE 4. NÉRON, JUNIE, NARCISSE.

NARCISSE

Britannicus, Seigneur, demande la Princesse :
Il approche.

NÉRON

Qu'il vienne.

JUNIE

Ah ! Seigneur.

---

1. **Quand même :** même si.
2. **J'entendrai :** je comprendrai.
3. **Salaire :** ici, châtiment.

NÉRON

Je vous laisse.

Sa fortune[1] dépend de vous plus que de moi.

690 Madame, en le voyant, songez que je vous voi[2].

*Néron (Robert Hirsch). Mise en scène
de Michel Vitold. Comédie-Française, 1961.*

1. **Fortune** : destinée, sort.
2. **Voi** : voir la note 1, p. 78.

REPÈRES

• Dans la scène 3, l'apparition de Junie complète la présentation des personnages. Quel double enjeu incarne-t-elle dans le conflit naissant ?

OBSERVATION

• Le style du discours de Néron évolue rapidement : galant au vers 541, il devient contraignant au vers 565, puis dialectique au vers 588, et enfin menaçant au vers 669. Analysez les grandes étapes de cette évolution.

• Devant son échec, Néron adopte une autre stratégie (v. 664 au v. 684). Montrez ici la relation entre pouvoir et désir ; quelles indications fournit-elle sur le caractère du personnage ?

• Junie organise subtilement sa défense ; présentez les principales articulations de celle-ci. Vous paraît-elle efficace ? Justifiez votre réponse à l'aide d'exemples précis.

• Quel élément dramaturgique explique la brève scène 4 ?

• Analysez la structure et le rythme du vers 688 ; en quoi contribue-t-il à la tension tragique de l'instant ?

INTERPRÉTATIONS

• Commentez la déclaration d'amour de Néron (du v. 573 au v. 602).

• En quoi ces deux scènes participent-elles directement à la mise en place du nœud tragique ?

• À l'aide d'exemples précis, vous montrerez comment le style racinien (termes, tournures, images, rythme des alexandrins) contribue à la tonalité tragique de l'affrontement.

SCÈNE 5. JUNIE, NARCISSE.

JUNIE

Ah ! cher Narcisse, cours au-devant de ton maître ;
Dis-lui... Je suis perdue, et je le vois paraître.

SCÈNE 6. JUNIE, BRITANNICUS, NARCISSE.

BRITANNICUS

Madame, quel bonheur me rapproche de vous ?
Quoi ? je puis donc jouir d'un entretien si doux ?
695 Mais parmi ce plaisir quel chagrin me dévore !
Hélas ! puis-je espérer de vous revoir encore ?
Faut-il que je dérobe, avec mille détours,
Un bonheur que vos yeux m'accordaient tous les jours ?
Quelle nuit ! Quel réveil ! Vos pleurs, votre présence
700 N'ont point de ces cruels désarmé l'insolence ?
Que faisait votre amant ? Quel démon[1] envieux[2]
M'a refusé l'honneur de mourir à vos yeux ?
Hélas ! dans la frayeur dont vous étiez atteinte,
M'avez-vous en secret adressé quelque plainte ?
705 Ma Princesse, avez-vous daigné me souhaiter ?
Songiez-vous aux douleurs que vous m'alliez coûter ?
Vous ne me dites rien ? Quel accueil ! Quelle glace[3] !
Est-ce ainsi que vos yeux consolent ma disgrâce ?
Parlez. Nous sommes seuls : notre ennemi trompé,
710 Tandis que je vous parle, est ailleurs occupé.
Ménageons[4] les moments de cette heureuse absence.

---

1. **Démon** : bon ou mauvais génie, ici, mauvais génie.
2. **Envieux** : diérèse (en-vi-eux).
3. **Glace** : froideur.
4. **Ménageons** : profitons de.

JUNIE

Vous êtes en des lieux tout pleins de sa puissance.
Ces murs mêmes, Seigneur, peuvent avoir des yeux ;
Et jamais l'Empereur n'est absent de ces lieux.

BRITANNICUS

715 Et depuis quand, Madame, êtes-vous si craintive ?
Quoi ? déjà votre amour souffre qu'on le captive ?
Qu'est devenu ce cœur qui me jurait toujours
De faire à Néron même envier nos amours ?
Mais bannissez, Madame, une inutile crainte.
720 La foi[1] dans tous les cœurs n'est pas encore éteinte ;
Chacun semble des yeux approuver mon courroux ;
La mère de Néron se déclare pour nous.
Rome, de sa conduite elle-même offensée...

JUNIE

Ah ! Seigneur, vous parlez contre votre pensée.
725 Vous-même, vous m'avez avoué mille fois
Que Rome le louait d'une commune voix ;
Toujours à sa vertu vous rendiez quelque hommage.
Sans doute la douleur[2] vous dicte ce langage.

BRITANNICUS

Ce discours me surprend, il le faut avouer.
730 Je ne vous cherchais pas pour l'entendre louer.
Quoi ! pour vous confier[3] la douleur qui m'accable,
À peine je dérobe un moment favorable,
Et ce moment si cher, Madame, est consumé[4]
À louer l'ennemi dont[5] je suis opprimé ?
735 Qui vous rend à vous-même, en un jour, si contraire[6] ?
Quoi ! même vos regards ont appris à se taire ?
Que vois-je ? Vous craignez de rencontrer mes yeux ?

---

1. **Foi** : ici, respect de la parole donnée.
2. **Douleur** : ici, ressentiment.
3. **Confier** : diérèse (con-fi-er).
4. **Consumé** : perdu.
5. **Dont** : par qui.
6. **Contraire** : différente.

Néron vous plairait-il ? Vous serais-je odieux[1] ?
Ah ! si je le croyais... Au nom des Dieux, Madame,
740 Éclaircissez le trouble où vous jetez mon âme.
Parlez. Ne suis-je plus dans votre souvenir ?

JUNIE

Retirez-vous, Seigneur, l'Empereur va venir.

BRITANNICUS

Après ce coup, Narcisse, à qui dois-je m'attendre[2] ?

SCÈNE 7. NÉRON, JUNIE, NARCISSE.

NÉRON

Madame...

JUNIE

Non, Seigneur, je ne puis rien entendre.
745 Vous êtes obéi. Laissez couler du moins
Des larmes dont ses yeux ne seront pas témoins.

SCÈNE 8. NÉRON, NARCISSE.

NÉRON

Hé bien ! de leur amour tu vois la violence[3],
Narcisse : elle a paru jusque dans son silence.
Elle aime mon rival, je ne puis l'ignorer ;
750 Mais je mettrai ma joie à le désespérer.
Je me fais de sa peine une image charmante,
Et je l'ai vu douter du cœur de son amante.

---

1. **Odieux** : diérèse (o-di-eux).
2. **M'attendre** : me fier.
3. **Violence** : diérèse (vi-o-lence).

Je la suis. Mon rival t'attend pour éclater[1].
Par de nouveaux soupçons, va, cours le tourmenter ;
755 Et tandis qu'à mes yeux on le pleure, on l'adore,
Fais-lui payer bien cher un bonheur qu'il ignore.

NARCISSE, *seul*.

La fortune t'appelle une seconde fois[2],
Narcisse, voudrais-tu résister à sa voix ?
Suivons jusques au bout ses ordres favorables ;
760 Et pour nous rendre heureux, perdons les misérables.

---

1. **Éclater :** manifester avec éclat.
2. **Une seconde fois :** Narcisse avait été le favori de l'empereur Claude avant d'être supplanté par Pallas. Racine lui donne donc ici une revanche fictive puisque dans la réalité Agrippine exigea sa mort à l'accession au trône de Néron.

REPÈRES

• Néron met en place son projet : dissimulé et épiant la scène, il oblige Junie à recevoir Britannicus pour mieux le repousser sans aucune explication. Comment pouvez-vous qualifier ce comportement et ce procédé ? Relevez des exemples où Junie tente de prévenir Britannicus de la situation et de la contrainte qui pèse sur elle.

OBSERVATION

• Que traduit le distique de la scène 5 ?
• Dans la scène 6, nous assistons à la première rencontre entre Britannicus et Junie. Montrez que la première tirade de Britannicus révèle un personnage à la fois amoureux, naïf et égoïste.
• Précisez en quoi cette scène permet à Racine de susciter « *pitié et crainte* » chez le spectateur, conformément à une règle tragique.
• Le champ lexical du regard occupe une place importante dans la scène 6 ; à l'aide d'exemples précis, indiquez sa signification.
• La brève scène 7 débute par un alexandrin éclaté ; quel sens donnez-vous à cet éclatement ?
• Analysez dans cette même scène la réaction de Junie.
• La scène 8 clôture l'acte II : quelle étape importante marque-t-elle dans la progression de l'intrigue dramatique ?
• Commentez le monologue de Narcisse (v. 757-760).

INTERPRÉTATIONS

• Néron est omniprésent dans l'acte II ; étudiez les principales phases de son évolution. Comparez également l'image de Néron telle qu'elle apparaît dans l'acte I, à travers les propos d'Agrippine, de Burrhus et de Britannicus, et celle qui s'impose à la fin de l'acte II.
• À travers l'étude du lexique et des procédés d'écriture, commentez la progression du tragique dans l'acte II.
• Proposez une lecture méthodique de la tirade de Néron dans la scène 8 (vers 747-756) à partir des trois axes suivants : 1) l'expression d'une victoire amère ; 2) un portrait psychologique de Néron ; 3) un tournant tragique.

Le nœud tragique

Après l'acte d'exposition dominé principalement par le conflit politique naissant entre Agrippine et son fils, l'empereur Néron, l'acte II lance véritablement l'action avec l'entrée en scène de Néron qui cherche à se débarrasser des multiples tutelles (filiales, politiques, morales) qui l'ont empêché jusqu'alors de laisser libre cours à ses instincts, ce que précisément l'incite à faire Narcisse (acte II, scène 2). En enlevant Junie, l'amante de Britannicus, il s'essaie à cette prise de pouvoir, mais amplifie du même coup la situation conflictuelle en lui donnant une dimension amoureuse et en faisant de Britannicus un rival à la fois politique et amoureux.

Un personnage inquiétant

L'évolution de l'action paraît d'autant plus inquiétante que Néron se trouve au sommet de la pyramide du pouvoir : « *César* », « *empereur* », il prend conscience qu'il est celui « *À qui Rome a commis l'empire des humains.* » (v. 582) ; malgré tout, ses inhibitions et les liens troubles qui l'unissent à sa mère Agrippine (v. 496-510) freinent encore ses penchants ; mais Narcisse, son âme damnée, s'attache à accélérer sa dangereuse émancipation. Omniprésent dans cet acte, il expérimente sur le couple Junie-Britannicus son goût pour le stratagème et son penchant sadique (scènes 6 à 8).

Le couple Junie-Britannicus

D'emblée ces amants apparaissent comme les victimes désignées du processus tragique : Britannicus, spolié de son pouvoir politique par Agrippine et Néron, est ici provoqué par ce même Néron sur le plan amoureux ; animé par la passion mais peu clairvoyant (scène 6), il semble une proie facile pour le « *monstre naissant* » ; en revanche, Junie, objet d'une rivalité amoureuse mais aussi symbole d'un pouvoir politique ancien, montre une plus grande perspicacité, résiste à Néron (scènes 3 et 7) et constitue une force objective contre ses visées.

ACTE III

SCÈNE PREMIÈRE[1]. NÉRON, BURRHUS.

BURRHUS

Pallas obéira, Seigneur.

NÉRON

Et de quel œil
Ma mère a-t-elle vu confondre son orgueil ?

BURRHUS

Ne doutez point, Seigneur, que ce coup ne la frappe,
Qu'en reproches bientôt sa douleur ne s'échappe.
765 Ses transports[2] dès longtemps commencent d'éclater.
À d'inutiles cris puissent-ils s'arrêter !

NÉRON

Quoi ? de quelque dessein la croyez-vous capable ?

BURRHUS

Agrippine, Seigneur, est toujours redoutable.
Rome et tous vos soldats révèrent ses aïeux ;
770 Germanicus son père est présent à leurs yeux.
Elle sait son pouvoir ; vous savez son courage ;
Et ce qui me la fait redouter davantage,
C'est que vous appuyez[3] vous-même son courroux,
Et que vous lui donnez des armes contre vous.

NÉRON

775 Moi, Burrhus ?

BURRHUS

Cet amour, Seigneur, qui vous possède...

---

1. **Scène première** : initialement, Racine avait prévu une scène entre Narcisse et Burrhus.
2. **Transports** : manifestations visibles des passions.
3. **Appuyez** : favorisez.

NÉRON

Je vous entends[1], Burrhus : le mal est sans remède.
Mon cœur s'en est plus dit que vous ne m'en direz.
Il faut que j'aime enfin.

BURRHUS
                    Vous vous le figurez,
Seigneur ; et satisfait de quelque résistance,
780 Vous redoutez un mal faible dans sa naissance.
Mais si, dans son devoir, votre cœur affermi
Voulait ne point s'entendre avec son ennemi[2] ;
Si de vos premiers ans vous consultiez la gloire ;
Si vous daigniez, Seigneur, rappeler la mémoire
785 Des vertus d'Octavie, indignes de[3] ce prix,
Et de son chaste amour vainqueur de vos mépris ;
Surtout si, de Junie évitant la présence,
Vous condamniez vos yeux à quelques jours d'absence :
Croyez-moi, quelque amour qui semble vous charmer,
790 On n'aime point, Seigneur, si l'on ne veut aimer.

NÉRON

Je vous croirai, Burrhus, lorsque dans les alarmes
Il faudra soutenir la gloire de nos armes,
Ou lorsque plus tranquille, assis dans le sénat,
Il faudra décider du destin de l'État :
795 Je m'en reposerai sur votre expérience[4].
Mais, croyez-moi, l'amour est une autre science[5],
Burrhus ; et je ferais quelque difficulté
D'abaisser[6] jusque-là votre sévérité.
Adieu. Je souffre trop, éloigné de Junie.

_____

1. **Entends** : comprends.
2. **Son ennemi** : l'amour que Néron éprouve pour Junie.
3. **Indignes de** : qui ne méritent pas.
4. **Expérience** : diérèse (ex-pé-ri-ence).
5. **Science** : diérèse (sci-ence).
6. **Je ferais [...] d'abaisser** : j'accepterais difficilement que vous abaissiez (tour ironique).

SCÈNE 2. BURRHUS, *seul.*

800 Enfin, Burrhus, Néron découvre son génie[1].
Cette férocité que tu croyais fléchir
De tes faibles liens[2] est prête à s'affranchir.
En quels excès peut-être elle va se répandre !
Ô Dieux ! en ce malheur quel conseil dois-je prendre ?
805 Sénèque, dont les soins[3] me devraient soulager,
Occupé loin de Rome, ignore ce danger.
Mais quoi ? si d'Agrippine excitant la tendresse,
Je pouvais... La voici : mon bonheur me l'adresse[4].

SCÈNE 3. AGRIPPINE, BURRHUS, ALBINE.

AGRIPPINE

Hé bien ! je me trompais, Burrhus, dans mes soupçons ?
810 Et vous vous signalez par d'illustres leçons !
On exile Pallas, dont le crime peut-être
Est d'avoir à l'Empire élevé votre maître.
Vous le savez trop bien. Jamais sans ses avis[5],
Claude, qu'il gouvernait[6], n'eût adopté mon fils.
815 Que dis-je ? À son épouse on donne une rivale ;
On affranchit Néron de la foi conjugale.
Digne emploi d'un ministre, ennemi des flatteurs,

---

1. **Son génie :** sa nature, sa vraie personnalité.
2. **Liens :** diérèse (li-ens).
3. **Soins :** soutien, aide.
4. **Me l'adresse :** la conduit vers moi.
5. **Sans ses avis :** les intrigues de Pallas permirent l'adoption de Néron par Claude.
6. **Qu'il gouvernait :** qu'il influençait.

REPÈRES

• Au début de l'acte précédent, Néron ordonnait l'exil de Pallas, soutien d'Agrippine, et chargeait Burrhus de cette mission. Ici, ce dernier vient rendre compte ; relevez les vers qui montrent que Burrhus ignore ce qui s'est produit avec Junie et Britannicus durant l'acte II.

OBSERVATION

• Mettez en évidence les deux étapes de l'argumentation de Burrhus aux vers 768-774 ; quel but poursuit-il ?
• En observant la répartition de la parole, la structure des alexandrins et la ponctuation, vous direz dans quelles dispositions psychologiques se trouve Néron.
• Comment caractérisez-vous le discours de Burrhus aux vers 778-790 ? En quoi montre-t-il que Burrhus ignore les événements récents et l'évolution brutale de Néron ?
• Relevez l'endroit où Néron manie l'ironie au détriment de Burrhus. Qu'indique-t-elle sur les rapports entre les deux hommes ?
• Pourquoi la tirade de Néron qui clôt la scène 1 équivaut-elle à un échec pour Burrhus et consacre-t-elle la naissance d'un nouveau Néron ?
• Comment appelle-t-on le discours de Burrhus de la scène 2 ? Quelle tonalité le caractérise ? Justifiez votre réponse.

INTERPRÉTATIONS

• À l'aide d'exemples, vous proposerez un portrait de Burrhus, en vous intéressant particulièrement au caractère ambigu du personnage.
• Analysez la dimension tragique de la scène 2.

Choisi pour mettre un frein à ses jeunes ardeurs,
De les flatter lui-même, et nourrir dans son âme
820 Le mépris de sa mère et l'oubli de sa femme !

BURRHUS

Madame, jusqu'ici c'est trop tôt m'accuser.
L'Empereur n'a rien fait qu'on ne puisse excuser.
N'imputez qu'à Pallas un exil nécessaire :
Son orgueil dès longtemps[1] exigeait ce salaire ;
825 Et l'Empereur ne fait qu'accomplir à regret
Ce que toute la cour demandait en secret.
Le reste est un malheur qui n'est point sans ressource :
Des larmes d'Octavie on peut tarir la source.
Mais calmez vos transports. Par un chemin plus doux,
830 Vous lui pourrez plutôt ramener son époux :
Les menaces, les cris le rendront plus farouche.

AGRIPPINE

Ah ! l'on s'efforce en vain de me fermer la bouche.
Je vois que mon silence irrite vos dédains ;
Et c'est trop respecter l'ouvrage de mes mains[2].
835 Pallas n'emporte pas tout l'appui d'Agrippine :
Le ciel m'en laisse assez pour venger ma ruine.
Le fils de Claudius[3] commence à ressentir[4]
Des crimes dont je n'ai que le seul repentir.
J'irai, n'en doutez point, le montrer à l'armée,
840 Plaindre aux yeux des soldats son enfance opprimée,
Leur faire, à mon exemple, expier leur erreur.
On verra d'un côté le fils d'un empereur
Redemandant la foi jurée à sa famille,
Et de Germanicus on entendra la fille ;
845 De l'autre, l'on verra le fils d'Enobarbus[5],

---

1. **Dès longtemps** : depuis longtemps.
2. **L'ouvrage de mes mains** : ici Agrippine rappelle son rôle dans l'accession au trône de Néron et de Burrhus au rang de gouverneur.
3. **Claudius** : diérèse (Clau-di-us).
4. **Ressentir** : exprimer son ressentiment contre.
5. **Le fils d'Enobarbus** : Néron.

Appuyé de Sénèque et du tribun[1] Burrhus,
Qui tous deux de l'exil rappelés par moi-même,
Partagent à mes yeux l'autorité suprême.
De nos crimes communs je veux qu'on soit instruit :
850 On saura les chemins par où je l'ai conduit.
Pour rendre sa puissance et la vôtre odieuses[2],
J'avoûrai[3] les rumeurs les plus injurieuses[4] :
Je confesserai tout, exil, assassinats[5],
Poison[6] même...

BURRHUS
Madame, ils[7] ne vous croiront pas.
855 Ils sauront récuser l'injuste stratagème
D'un témoin irrité qui s'accuse lui-même.
Pour moi, qui le premier secondai vos desseins,
Qui fis même jurer l'armée entre ses mains,
Je ne me repens point de ce zèle sincère.
860 Madame, c'est un fils qui succède à son père.
En adoptant Néron, Claudius[8] par son choix
De son fils et du vôtre a confondu les droits.
Rome l'a pu choisir. Ainsi, sans être injuste,
Elle choisit Tibère adopté par Auguste ;
865 Et le jeune Agrippa, de son sang descendu[9],
Se vit exclu du rang vainement prétendu.
Sur tant de fondements sa puissance établie
Par vous-même aujourd'hui ne peut être affaiblie :

---

1. **Tribun** : grade militaire placé au-dessous du légat.
2. **Odieuses** : diérèse (o-di-euses).
3. **J'avoûrai** : au lieu de « j'avouerai », pour permettre la mesure de l'alexandrin.
4. **Injurieuses** : diérèse (in-jur-ri-euses).
5. **Exil, assassinats** : Tacite attribue à Agrippine une série de crimes destinés à assurer le trône de Néron.
6. **Poison** : allusion à l'empoisonnement de l'empereur Claude.
7. **Ils** : les soldats.
8. **Claudius** : diérèse (Clau-di-us).
9. **Et le jeune Agrippa [...] descendu** : petit-fils d'Auguste ; il fut éliminé par Tibère.

Et s'il m'écoute encor, Madame, sa bonté
870 Vous en fera bientôt perdre la volonté.
J'ai commencé, je vais poursuivre mon ouvrage.

SCÈNE 4. AGRIPPINE, ALBINE.

ALBINE
Dans quel emportement la douleur vous engage,
Madame ! L'Empereur puisse-t-il l'ignorer !

AGRIPPINE
Ah ! lui-même à mes yeux puisse-t-il se montrer !

ALBINE
875 Madame, au nom des Dieux, cachez votre colère.
Quoi ? pour les intérêts de la sœur ou du frère[1],
Faut-il sacrifier[2] le repos de vos jours ?
Contraindrez-vous[3] César jusque dans ses amours ?

AGRIPPINE
Quoi ! tu ne vois donc pas jusqu'où l'on me ravale,
880 Albine ? C'est à moi qu'on donne une rivale.
Bientôt, si je ne romps ce funeste lien[4],
Ma place est occupée, et je ne suis plus rien.
Jusqu'ici d'un vain titre Octavie honorée,
Inutile à la cour, en était ignorée.
885 Les grâces, les honneurs par moi seule versés
M'attiraient des mortels les vœux intéressés.
Une autre de César a surpris la tendresse[5] :
Elle aura le pouvoir d'épouse et de maîtresse.
Le fruit de tant de soins, la pompe[6] des Césars,

---

1. **De la sœur ou du frère** : d'Octavie ou de Britannicus.
2. **Sacrifier** : diérèse (sa-cri-fi-er).
3. **Contraindrez-vous** : commanderez-vous.
4. **Lien** : diérèse (li-en).
5. **A surpris la tendresse** : a conquis l'affection.
6. **Pompe** : faste.

890 Tout deviendra le prix d'un seul de ses regards.
Que dis-je ? l'on m'évite, et déjà délaissée...
Ah ! je ne puis, Albine, en souffrir la pensée.
Quand je devrais du Ciel hâter l'arrêt fatal[1],
Néron, l'ingrat Néron... Mais voici son rival.

---

1. **Du Ciel [...] fatal :** allusion à la prédiction faite à Agrippine selon laquelle Néron serait un jour empereur et tuerait sa mère.

REPÈRES

• L'affrontement tragique est maintenant dans sa phase active. Agrippine, absente de l'acte II, apparaît de nouveau dans le même état de colère que dans l'acte I. Quels sont les vers qui évoquent son emportement initial ? Relevez également ceux qui font allusion aux conséquences de l'ordre donné par Néron à Burrhus dans la scène 1 de l'acte II.

OBSERVATION

• C'est le deuxième affrontement entre Agrippine et Burrhus (acte I, scène 2 et acte III, scène 3) ; comparez les deux scènes et mettez en évidence la progression de l'intensité dramatique.
• Face aux accusations d'Agrippine, Burrhus organise sa défense en deux temps ; analysez sa progression en montrant la contradiction de son attitude par rapport à son projet de la scène précédente.
• À partir du vers 839, Agrippine se fait menaçante : relevez les verbes au futur simple de sa tirade ; par quel procédé d'écriture Racine amplifie-t-il la colère du personnage ?
• Relevez les vers où Agrippine conteste la légitimité de Néron.
• Quelle menace explicite Agrippine fait-elle peser sur son fils ?
• Aux vers 842 et 845, vous relèverez les périphrases utilisées par Agrippine pour désigner Britannicus et Néron ; quelle est leur signification ?
• À la crise politique de la scène 3, Racine adjoint une crise sentimentale dans la scène 4 ; relevez les termes qui traduisent cette crise et dites à quel champ lexical ils appartiennent. De ce point de vue, que représente Junie aux yeux d'Agrippine ?

INTERPRÉTATIONS

• Étudiez la tirade d'Agrippine (v. 832-854) en montrant la dimension politique de son discours et le pathétique du personnage ; pour développer ces deux axes, vous prendrez en compte les nombreux procédés d'écriture employés par Racine.

Agrippine (Françoise Fabian) et Britannicus (Marc François).
Mise en scène de Claude Santelli.
Vaison-la-Romaine, 1985.

Scène 5. Britannicus, Agrippine, Narcisse, Albine.

BRITANNICUS

895 Nos ennemis communs ne sont pas invincibles,
Madame : nos malheurs trouvent des cœurs sensibles.
Vos amis et les miens, jusqu'alors si secrets,
Tandis que nous perdions le temps en vains regrets,
Animés du courroux qu'allume l'injustice,
900 Viennent de confier[1] leur douleur à Narcisse.
Néron n'est pas encor tranquille possesseur
De l'ingrate qu'il aime au mépris de ma sœur.
Si vous êtes toujours sensible à son injure[2],
On peut dans son devoir ramener le parjure.
905 La moitié du sénat s'intéresse pour nous[3] :
Sylla, Pison, Plautus[4]...

AGRIPPINE

Prince, que dites-vous ?
Sylla, Pison, Plautus ! les chefs de la noblesse !

BRITANNICUS

Madame, je vois bien que ce discours vous blesse,
Et que votre courroux, tremblant, irrésolu,
910 Craint déjà d'obtenir tout ce qu'il a voulu.
Non, vous avez trop bien établi[5] ma disgrâce :
D'aucun ami pour moi ne redoutez l'audace.
Il ne m'en reste plus ; et vos soins trop prudents
Les ont tous écartés ou séduits dès longtemps[6].

---

1. **Confier** : diérèse (con-fi-er).
2. **Son injure** : l'offense faite à Octavie par Néron.
3. **S'intéresse pour nous** : prend notre parti.
4. **Sylla, Pison, Plautus** : ces trois dignitaires périrent sur l'ordre de Néron.
5. **Établi** : assuré.
6. **Séduits dès longtemps** : détournés du droit chemin depuis longtemps.

AGRIPPINE

915 Seigneur, à vos soupçons donnez moins de créance :
Notre salut dépend de notre intelligence[1].
J'ai promis, il suffit. Malgré vos ennemis,
Je ne révoque rien de ce que j'ai promis.
Le coupable Néron fuit en vain ma colère :
920 Tôt ou tard il faudra qu'il entende sa mère.
J'essaîrai[2] tour à tour la force et la douceur ;
Ou moi-même, avec moi conduisant votre sœur,
J'irai semer partout ma crainte[3] et ses alarmes,
Et ranger tous les cœurs du parti[4] de ses larmes.
925 Adieu. J'assiégerai Néron de toutes parts.
Vous, si vous m'en croyez, évitez ses regards.

SCÈNE 6. BRITANNICUS, NARCISSE.

BRITANNICUS

Ne m'as-tu point flatté d'une fausse espérance ?
Puis-je sur ton récit fonder quelque assurance,
Narcisse ?

NARCISSE

Oui. Mais, Seigneur, ce n'est pas en ces lieux
930 Qu'il faut développer[5] ce mystère à vos yeux.
Sortons. Qu'attendez-vous ?

BRITANNICUS

Ce que j'attends, Narcisse ?
Hélas !

---

1. **Intelligence** : entente, complicité.
2. **J'essaîrai** : au lieu de « j'essaierai », voir la note 6 p. 61.
3. **Ma crainte** : la crainte que j'inspire (et non pas celle que j'éprouve).
4. **Du parti** : du côté.
5. **Développer** : élucider, débrouiller.

NARCISSE

Expliquez-vous.

BRITANNICUS

Si par ton artifice[1]

Je pouvais revoir...

NARCISSE

Qui ?

BRITANNICUS

J'en rougis. Mais enfin

D'un cœur moins agité j'attendrais mon destin.

NARCISSE

935 Après tous mes discours, vous la croyez fidèle ?

BRITANNICUS

Non, je la crois, Narcisse, ingrate, criminelle,

Digne de mon courroux ; mais je sens, malgré moi,

Que je ne le crois pas autant que je le doi[2].

Dans ses égarements mon cœur opiniâtre[3]

940 Lui prête des raisons, l'excuse, l'idolâtre.

Je voudrais vaincre enfin mon incrédulité :

Je la voudrais haïr avec tranquillité.

Et qui croira qu'un cœur si grand en apparence,

D'une infidèle[4] cour ennemi dès l'enfance,

945 Renonce à tant de gloire, et dès le premier jour

Trame une perfidie inouïe à la cour[5] ?

NARCISSE

Et qui sait si l'ingrate, en sa longue retraite,

N'a point de l'Empereur médité la défaite ?

Trop sûre que ses yeux ne pouvaient se cacher,

950 Peut-être elle fuyait pour se faire chercher,

Pour exciter Néron par la gloire pénible

1. **Artifice** : adresse, ruse.
2. **Doi** : au lieu de « dois » (liberté orthographique pour la rime visuelle).
3. **Opiniâtre** : diérèse (o-pi-ni-âtre).
4. **Infidèle** : déloyale, perfide.
5. **Inouïe à la cour** : telle que la cour n'en a jamais connue.

REPÈRES

• Après l'échec de son entrevue avec Burrhus, Agrippine voit dans Britannicus un moyen possible de reconquérir un pouvoir qui lui échappe ; de son côté, Britannicus espère trouver une alliée dans celle qui est pourtant à l'origine de sa disgrâce. Cette deuxième rencontre fait écho à la scène 3 de l'acte I. Relevez les éléments qui montrent la progression de l'intrigue.

OBSERVATION

• Comparez la première tirade de Britannicus (v. 895-906) avec celle de la scène 3 de l'acte I.
• Relevez dans l'échange entre Britannicus et Agrippine les termes qui révèlent leur méprise réciproque. Que prépare ainsi Racine ?
• Pourquoi la présence muette de Narcisse dans la scène 5 constitue-t-elle un élément tragique déterminant ?
• À quoi Britannicus fait-il allusion au début de la scène 6 ? Que révèlent ses propos sur sa clairvoyance ?
• Que traduisent les alexandrins éclatés de la scène 6 (v. 931-933) ?
• Quel rôle Narcisse cherche-t-il à faire jouer à Junie ?
• Quels sont les éléments qui donnent à Britannicus une dimension pathétique dans la scène 6 ?
• Quel événement prend pour la première fois en défaut la traîtrise de Narcisse ? Quel effet recherche le dramaturge ?
• Commentez la sortie de Narcisse (v. 956) ; à qui s'adressent ses propos ? Quelle est l'intention du dramaturge ?

INTERPRÉTATIONS

• Montrez comment ces deux scènes installent d'une manière irrémédiable le statut tragique de Britannicus.
• Muet dans la scène 5 et actif dans la scène suivante, Narcisse apparaît aux yeux des spectateurs comme un archétype du traître. Faites un portrait de ce personnage.

De vaincre une fierté[1] jusqu'alors invincible.

BRITANNICUS

Je ne la puis donc voir ?

NARCISSE

Seigneur, en ce moment

Elle reçoit les vœux[2] de son nouvel amant.

BRITANNICUS

955 Hé bien ! Narcisse, allons. Mais que vois-je ? C'est elle.

NARCISSE

Ah, Dieux ! À l'Empereur portons cette nouvelle.

SCÈNE 7. BRITANNICUS, JUNIE.

JUNIE

Retirez-vous, Seigneur, et fuyez un courroux
Que ma persévérance allume contre vous.
Néron est irrité. Je me suis échappée,
960 Tandis qu'à l'arrêter sa mère est occupée.
Adieu : réservez-vous, sans blesser mon amour,
Au plaisir de me voir justifier[3] un jour.
Votre image sans cesse est présente à mon âme :
Rien ne l'en peut bannir.

BRITANNICUS

Je vous entends, Madame :

965 Vous voulez que ma fuite assure vos désirs[4],
Que je laisse un champ libre à vos nouveaux soupirs.
Sans doute, en me voyant, une pudeur[5] secrète
Ne vous laisse goûter qu'une joie inquiète[6].

---

1. **Fierté** : ici, pudeur sans défaut.
2. **Vœux** : hommages.
3. **Justifier** : diérèse (jus-ti-fi-er).
4. **Assure vos désirs** : rende sûrs vos désirs.
5. **Pudeur** : honte.
6. **Inquiète** : diérèse (in-qui-ète).

Hé bien ! il faut partir.

JUNIE

Seigneur, sans m'imputer...

BRITANNICUS

970 Ah ! vous deviez du moins plus longtemps disputer[1].
Je ne murmure point qu'une amitié commune[2]
Se range du parti que flatte la fortune,
Que l'éclat d'un empire ait pu vous éblouir,
Qu'aux dépens de ma sœur vous en vouliez jouir ;
975 Mais que de ces grandeurs comme une autre occupée,
Vous m'en ayez paru si longtemps détrompée[3] :
Non, je l'avoue encor, mon cœur désespéré
Contre ce seul malheur n'était point préparé.
J'ai vu sur ma ruine[4] élever l'injustice ;
980 De mes persécuteurs j'ai vu le ciel complice.
Tant d'horreurs n'avaient point épuisé son courroux,
Madame : il me restait d'être oublié de vous.

JUNIE

Dans un temps plus heureux ma juste impatience[5]
Vous ferait repentir de votre défiance[6].
985 Mais Néron vous menace : en ce pressant danger,
Seigneur, j'ai d'autres soins que de vous affliger.
Allez, rassurez-vous, et cessez de vous plaindre :
Néron nous écoutait, et m'ordonnait de feindre.

BRITANNICUS

Quoi ? le cruel...

JUNIE

Témoin de tout notre entretien,
990 D'un visage sévère examinait le mien.

---

1. **Disputer :** lutter, résister.
2. **Amitié commune :** amour ordinaire.
3. **Détrompée :** désabusée.
4. **Ruine :** diérèse (ru-ine).
5. **Impatience :** diérèse (im-pa-ti-ence).
6. **Défiance :** diérèse (dé-fi-ance).

Prêt à faire sur vous éclater la vengeance
D'un geste confident[1] de notre intelligence.

BRITANNICUS

Néron nous écoutait, Madame ! Mais, hélas !
Vos yeux auraient pu feindre, et ne m'abuser pas.
995 Ils pouvaient me nommer l'auteur de cet outrage.
L'amour est-il muet, ou n'a-t-il qu'un langage ?
De quel trouble un regard pouvait me préserver !
Il fallait...

JUNIE

Il fallait me taire et vous sauver.
Combien de fois, hélas ! puisqu'il faut vous le dire,
1000 Mon cœur de son désordre allait-il vous instruire !
De combien de soupirs interrompant le cours
Ai-je évité vos yeux que je cherchais toujours !
Quel tourment de se taire en voyant ce[2] qu'on aime !
De l'entendre gémir, de l'affliger soi-même,
1005 Lorsque par un regard on peut le consoler !
Mais quels pleurs ce regard aurait-il fait couler !
Ah ! dans ce souvenir, inquiète[3], troublée,
Je ne me sentais pas assez dissimulée.
De mon front effrayé je craignais la pâleur ;
1010 Je trouvais mes regards trop pleins de ma douleur.
Sans cesse il me semblait que Néron en colère
Me venait reprocher trop de soin de vous plaire ;
Je craignais mon amour vainement renfermé ;
Enfin, j'aurais voulu n'avoir jamais aimé.
1015 Hélas ! pour son bonheur, Seigneur, et pour le nôtre,
Il n'est que trop instruit de mon cœur et du vôtre.
Allez, encore un coup[4], cachez-vous à ses yeux :

---

1. **Confident** : preuve.
2. **Ce** : celui.
3. **Inquiète** : diérèse (in-qui-ète).
4. **Encore un coup** : encore une fois.

Mon cœur plus à loisir vous éclaircira mieux.
De mille autres secrets j'aurais compte à vous rendre.

BRITANNICUS

1020 Ah ! n'en voilà que trop. C'est trop me faire entendre,
Madame, mon bonheur, mon crime[1], vos bontés.
Et savez-vous pour moi tout ce que vous quittez ?
Quand pourrai-je à vos pieds expier[2] ce reproche ?

JUNIE

Que faites-vous ? Hélas ! votre rival s'approche.

---

1. **Crime** : faute.
2. **Expier** : diérèse (ex-pi-er).

REPÈRES

• Cette deuxième rencontre entre Junie et Britannicus constitue un coup de théâtre ; inattendue, elle forme un diptyque avec la scène 6 de l'acte II. Notez les différences entre les deux scènes. Quel élément majeur Racine introduit-il ici ? Quelles en sont les conséquences pour le mouvement tragique ?

OBSERVATION

• Malgré la crise imminente, cette rencontre constitue un bref répit soustrait à la fatalité tragique ; dites pourquoi.
• Pour quelles raisons Racine suspend-il ici l'intrigue politique ?
• L'arrivée de Junie a provoqué le départ précipité de Narcisse. Quel effet recherche Racine avec ce mouvement ?
• Pourquoi, selon vous, Junie tarde-t-elle à révéler à Britannicus les conditions de leur précédente entrevue ?
• À l'aide d'exemples précis, montrez que Junie et Britannicus perçoivent bien Néron comme un danger mais avec des raisons sensiblement différentes ; quels enseignements en tirez-vous sur la grandeur d'âme de ces deux personnages ?
• À partir de quel vers le dépit amoureux de Britannicus cesse-t-il ?
• Relevez les deux alexandrins où Junie suggère la possibilité d'une trahison dans l'entourage de Britannicus.
• Étudiez le champ sémantique du regard dans la tirade de Junie (v. 998-1019).
• Quel nouveau coup de théâtre clôt la scène ? Qu'indique-t-il dans l'évolution du processus tragique ?

INTERPRÉTATIONS

• Analysez la tirade des vers 998-1019 en montrant les procédés utilisés pour reconstituer le point de vue du personnage et l'intensité de l'épreuve subie.
• À travers l'étude des rapports entre Britannicus et Junie, vous montrerez comment cette scène active le mécanisme tragique.

SCÈNE 8. NÉRON, BRITANNICUS, JUNIE.

NÉRON

1025 Prince, continuez des transports[1] si charmants.
Je conçois vos bontés par ses remercîments[2],
Madame : à vos genoux je viens de le surprendre.
Mais il aurait aussi quelque grâce à me rendre :
Ce lieu le favorise, et je vous y retiens
1030 Pour lui faciliter de si doux entretiens.

BRITANNICUS

Je puis mettre à ses pieds ma douleur ou ma joie
Partout où sa bonté consent que je la voie ;
Et l'aspect de ces lieux où vous la retenez
N'a rien dont mes regards doivent être étonnés.

NÉRON

1035 Et que vous montrent-ils qui ne vous avertisse
Qu'il faut qu'on me respecte et que l'on m'obéisse ?

BRITANNICUS

Ils ne nous ont pas vu l'un et l'autre élever,
Moi pour vous obéir, et vous pour me braver ;
Et ne s'attendaient pas, lorsqu'ils nous virent naître,
1040 Qu'un jour Domitius[3] me dût parler en maître.

NÉRON

Ainsi par le destin nos vœux sont traversés[4] :
J'obéissais alors, et vous obéissez.
Si vous n'avez appris à vous laisser conduire,
Vous êtes jeune encore, et l'on peut vous instruire.

BRITANNICUS

1045 Et qui m'en instruira ?

---

1. **Transports** : manifestations amoureuses.
2. **Remercîments** : au lieu de « remerciements », pour respecter la mesure du vers.
3. **Domitius** : Néron. Diérèse (Do-mi-ti-us).
4. **Traversés** : contrariés.

NÉRON
Tout l'Empire à la fois,
Rome.

BRITANNICUS
Rome met-elle au nombre de vos droits
Tout ce qu'a[1] de cruel l'injustice et la force,
Les emprisonnements, le rapt et le divorce ?

NÉRON
Rome ne porte point ses regards curieux[2]
1050 Jusque dans des secrets que je cache à ses yeux.
Imitez son respect.

BRITANNICUS
On sait ce qu'elle en pense.

NÉRON
Elle se tait du moins : imitez son silence.

BRITANNICUS
Ainsi Néron commence à ne se plus forcer[3].

NÉRON
Néron de vos discours commence à se lasser.

BRITANNICUS
1055 Chacun devait bénir le bonheur de son règne.

NÉRON
Heureux ou malheureux[4], il suffit qu'on me craigne.

BRITANNICUS
Je connais mal Junie, ou de tels sentiments
Ne mériteront pas ses applaudissements.

NÉRON
Du moins, si je ne sais le secret de lui plaire,
1060 Je sais l'art de punir un rival téméraire.

---

1. **A** : ici, le verbe s'accorde avec le sujet le plus proche, « *l'injustice* ».
2. **Curieux** : diérèse (cu-ri-eux).
3. **À ne se plus forcer** : à ne plus se contraindre.
4. **Heureux ou malheureux** : que mon règne soit heureux ou malheureux.

BRITANNICUS

Pour moi, quelque péril qui me puisse accabler,
Sa seule inimitié peut me faire trembler.

NÉRON

Souhaitez-la : c'est tout ce que je vous puis dire.

BRITANNICUS

Le bonheur de lui plaire est le seul où j'aspire.

NÉRON

1065 Elle vous l'a promis, vous lui plairez toujours.

BRITANNICUS

Je ne sais pas du moins épier[1] ses discours.
Je la laisse expliquer sur tout ce qui me touche,
Et ne me cache point pour lui fermer la bouche.

NÉRON

Je vous entends. Hé bien, gardes !

JUNIE

Que faites-vous ?

1070 C'est votre frère. Hélàs ! C'est un amant jaloux ;
Seigneur, mille malheurs persécutent sa vie.
Ah ! son bonheur peut-il exciter votre envie ?
Souffrez que de vos cœurs rapprochant les liens[2],
Je me cache à vos yeux, et me dérobe aux siens.
1075 Ma fuite arrêtera vos discordes fatales ;
Seigneur, j'irai remplir[3] le nombre des Vestales[4].
Ne lui disputez plus mes vœux infortunés :
Souffrez que les Dieux seuls en soient importunés.

NÉRON

L'entreprise, Madame, est étrange et soudaine.
1080 Dans son appartement, gardes, qu'on la ramène.
Gardez Britannicus dans celui de sa sœur.

---

1. **Épier** : diérèse (é-pi-er).
2. **Liens** : diérèse (li-ens).
3. **Remplir** : augmenter.
4. **Vestales** : prêtresses chargées du culte de la déesse Vesta. Elles
entretenaient le feu sacré de la cité et faisaient vœux de pureté et d'ascétisme.

BRITANNICUS
C'est ainsi que Néron sait disputer un cœur.

JUNIE
Prince, sans l'irriter, cédons à cet orage.

NÉRON
Gardes, obéissez sans tarder davantage.

SCÈNE 9. NÉRON, BURRHUS.

BURRHUS
1085 Que vois-je ? Ô ciel !

NÉRON, *sans voir Burrhus.*
        Ainsi leurs feux[1] sont redoublés.
Je reconnais la main qui les a rassemblés.
Agrippine ne s'est présentée à ma vue,
Ne s'est dans ses discours si longtemps étendue,
Que pour faire jouer ce ressort odieux[2].
1090 Qu'on sache si ma mère est encore en ces lieux.
Burrhus, dans ce palais je veux qu'on la retienne,
Et qu'au lieu de sa garde on lui donne la mienne.

BURRHUS
Quoi, Seigneur ? sans l'ouïr ? Une mère ?

NÉRON
                Arrêtez :
J'ignore quel projet, Burrhus, vous méditez ;
1095 Mais depuis quelques jours, tout ce que je désire
Trouve en vous un censeur prêt à me contredire.
Répondez-m'en, vous dis-je ; ou sur votre refus
D'autres me répondront et d'elle et de Burrhus.

---

1. **Feux :** sentiments amoureux (métaphore galante).
2. **Odieux :** diérèse (o-di-eux).

Mademoiselle Dumesnil,
dans le rôle d'Agrippine.
Bibliothèque de l'Arsenal, fonds Rondel.

REPÈRES

• La sortie de Narcisse à la fin de la scène 6 (vers 956) a préparé l'irruption de Néron au beau milieu de la scène sentimentale entre Junie et Britannicus. Spectateur de son infortune amoureuse, Néron mesure l'échec de la contrainte qu'il a fait peser sur la première rencontre entre les deux amants (acte II, scène 6). Montrez les principales étapes qui ont conduit depuis le début de la pièce à cet unique affrontement entre les deux rivaux.

OBSERVATION

• À l'aide d'exemples précis, dites sur quels plans se situent respectivement Britannicus et Néron.
• Observez les vers 1051 à 1057 et les vers 1062 à 1066 ; que constatez-vous ? Comment s'appelle le procédé d'écriture utilisé par Racine ? Quel effet l'auteur recherche-t-il ?
• À quoi fait allusion Britannicus au vers 1066 ?
• Analysez le discours de Britannicus aux vers 1037-1040 ; quel est son objectif ?
• Relevez les trois phases du comportement de Néron. Que traduit cette évolution ?
• Quel nouvel aspect de Britannicus apparaît dans cette scène ? Comment celui-ci est-il motivé sur le plan psychologique ? Sur le plan de la dramaturgie ?
• Pendant l'essentiel de l'affrontement, Junie demeure silencieuse ; qu'apporte sa présence à la tension dramatique de la scène ? Commentez son intervention (v. 1069-1078).
• Quels éléments de la brève scène 9 complètent le tragique de l'instant ?
• Faites le bilan des bouleversements qui marquent la fin de ce troisième acte.

INTERPRÉTATIONS

• Vous étudierez le violent affrontement entre Néron et Britannicus du début de la scène au vers 1060, en vous attachant tout d'abord à la manière dont s'organise l'expression du conflit amoureux et du conflit politique, et ensuite à la rhétorique de Néron qui consacre l'émergence du tyran.

Les forces en présence

La tragédie classique comporte cinq actes, le troisième permettant à la crise d'éclater et d'observer les forces en présence : d'un côté, le duo Néron-Narcisse ; de l'autre, le couple Junie-Britannicus, Agrippine, Burrhus. Ces deux derniers personnages, en échouant dans leur tentative d'alliance (scène 3), contribuent à l'accélération du processus tragique. Ainsi, à la fin de l'acte, Néron contrôle la situation, fait arrêter Junie, Britannicus, Agrippine, et paraît menaçant avec Burrhus.

Le mouvement dramatique

La structure même de l'acte III renseigne de manière précise sur le mouvement dramatique et met en place un jeu d'échos dont l'amplification révèle la progression de l'intrigue :

• l'affrontement initial entre Burrhus et Agrippine (acte I, scène 2) est repris ici dans la scène 3 ; mais Burrhus vient de découvrir la vraie nature de Néron (scènes 1-2) et cherche l'appui d'Agrippine mais l'intransigeance de cette dernière fait échouer la tentative ;

• le dialogue d'Agrippine avec Albine à la scène 4 prolonge la scène de récriminations de l'exposition (acte I, scène 1) ; toutefois il ne s'agit plus d'obtenir une entrevue avec Néron mais d'intriguer contre lui ;

• après leur brève rencontre devant la porte de Néron (acte I, scène 3), Britannicus retrouve Agrippine (scène 5) : il n'est plus un simple rival amoureux, il est devenu un opposant politique sérieux à Néron (v. 895-906) ;

• malgré quelques doutes (v. 927-929), le second dialogue entre Narcisse et Britannicus (scène 6) confirme l'absence de clairvoyance de ce dernier, déjà constatée à l'acte I, scène 4, et rend plus inéluctable le processus tragique ;

• après la confrontation avec Britannicus par Junie interposée (acte II, scène 6), c'est au grand jour que Néron affronte son rival (scène 8) : la violence de l'échange verbal qui s'achève par l'arrestation de Britannicus indique qu'une étape irrémédiable a été franchie.

ACTE IV

SCÈNE PREMIÈRE. AGRIPPINE, BURRHUS.

BURRHUS

Oui, Madame, à loisir vous pourrez vous défendre :
1100 César lui-même ici consent de[1] vous entendre.
Si son ordre au palais vous a fait retenir,
C'est peut-être à dessein de vous entretenir.
Quoi qu'il en soit, si j'ose expliquer ma pensée,
Ne vous souvenez plus qu'il vous ait offensée :
1105 Préparez-vous plutôt à lui tendre les bras ;
Défendez-vous, Madame, et ne l'accusez pas.
Vous voyez, c'est lui seul que la cour envisage[2].
Quoiqu'il soit votre fils, et même votre ouvrage,
Il est votre empereur. Vous êtes, comme nous,
1110 Sujette à ce pouvoir qu'il a reçu de vous.
Selon qu'il vous menace, ou bien qu'il vous caresse,
La cour autour de vous ou s'écarte, ou s'empresse.
C'est son appui qu'on cherche, en cherchant votre appui.
Mais voici l'Empereur.

AGRIPPINE

Qu'on me laisse avec lui.

SCÈNE 2. AGRIPPINE, NÉRON.

AGRIPPINE, *s'asseyant.*
1115 Approchez-vous, Néron, et prenez votre place.
On veut sur vos soupçons que je vous satisfasse[3].

---

1. **Consent de :** consent à.
2. **Envisage :** regarde, considère.
3. **Que je vous satisfasse :** que je vous fournisse des explications.

J'ignore de quel crime on a pu me noircir :
De tous ceux que j'ai faits je vais vous éclaircir.
Vous régnez. Vous savez combien votre naissance
1120 Entre l'Empire et vous avait mis de distance.
Les droits de mes aïeux[1], que Rome a consacrés,
Étaient même, sans moi, d'inutiles degrés.
Quand de Britannicus la mère[2] condamnée
Laissa de Claudius[3] disputer l'hyménée,
1125 Parmi tant de beautés qui briguèrent son choix,
Qui de ses affranchis[4] mendièrent[5] les voix,
Je souhaitai son lit, dans la seule pensée
De vous laisser au trône où je serais placée.
Je fléchis mon orgueil, j'allai prier Pallas.
1130 Son maître, chaque jour caressé dans mes bras,
Prit insensiblement dans les yeux de sa nièce[6]
L'amour où je voulais amener sa tendresse.
Mais ce lien[7] du sang qui nous joignait tous deux
Écartait Claudius[8] d'un lit incestueux.
1135 Il n'osait épouser la fille de son frère.
Le sénat fut séduit[9] : une loi moins sévère
Mit Claude dans mon lit, et Rome à mes genoux.
C'était beaucoup pour moi, ce n'était rien pour vous.
Je vous fis sur mes pas entrer dans sa famille :
1140 Je vous nommai son gendre, et vous donnai sa fille.

---

1. **Mes aïeux** : Agrippine rappelle qu'elle est l'arrière-petite-fille d'Auguste par sa mère Agrippine l'Aînée et que son père, Germanicus, est le fils de Drusus, frère de Tibère et fils adoptif d'Auguste.
2. **La mère** : Messaline.
3. **Claudius** : diérèse (Clau-di-us).
4. **Ses affranchis** : les trois affranchis de Claude lui proposèrent, tour à tour, une nouvelle épouse pour remplacer Messaline. C'est Pallas qui présenta Agrippine ; voir la note 7, p. 59.
5. **Mendièrent** : diérèse (men-di-èrent).
6. **Nièce** : Agrippine était la fille de Germanicus, frère de Claude.
7. **Lien** : diérèse (li-en).
8. **Claudius** : diérèse (Clau-di-us).
9. **Séduit** : détourné du droit chemin.

Agrippine (Françoise Fabian) et Néron (Yves Lambrecht).
Mise en scène de Claude Santelli.
Vaison-la-Romaine, 1985.

Silanus, qui l'aimait, s'en vit abandonné,
Et marqua de son sang ce jour infortuné.
Ce n'était rien encore. Eussiez-vous pu prétendre
Qu'un jour Claude à son fils dût préférer son gendre ?
1145 De ce même Pallas j'implorai le secours :
Claude vous adopta, vaincu par ses discours,
Vous appela Néron, et du pouvoir suprême
Voulut, avant le temps, vous faire part lui-même.
C'est alors que chacun, rappelant le passé,
1150 Découvrit mon dessein, déjà trop avancé[1] ;
Que de Britannicus la disgrâce future
Des amis de son père excita le murmure.

---

1. **Trop avancé :** tournure elliptique signifiant « trop avancé pour qu'on pût
s'y opposer ».

Mes promesses aux uns éblouirent les yeux ;
L'exil me délivra des plus séditieux[1] ;
1155 Claude même, lassé de ma plainte éternelle,
Éloigna de son fils tous ceux de qui le zèle,
Engagé dès longtemps[2] à suivre son destin,
Pouvait du trône encor lui rouvrir le chemin.
Je fis plus : je choisis moi-même dans ma suite
1160 Ceux à qui je voulais qu'on livrât sa conduite :
J'eus soin de vous nommer, par un contraire choix,
Des gouverneurs que Rome honorait de sa voix.
Je fus sourde à la brigue, et crus la renommée.
J'appelai de l'exil, je tirai de l'armée,
1165 Et ce même Sénèque, et ce même Burrhus,
Qui depuis... Rome alors estimait leurs vertus.
De Claude en même temps épuisant les richesses,
Ma main, sous votre nom, répandait ses largesses.
Les spectacles, les dons, invincibles appâts,
1170 Vous attiraient les cœurs du peuple et des soldats,
Qui d'ailleurs, réveillant leur tendresse première,
Favorisaient en vous Germanicus mon père.
Cependant Claudius[3] penchait vers son déclin[4].
Ses yeux, longtemps fermés, s'ouvrirent à la fin :
1175 Il connut[5] son erreur. Occupé de sa crainte,
Il laissa pour son fils échapper quelque plainte,
Et voulut, mais trop tard, assembler ses amis.
Ses gardes, son palais, son lit m'étaient soumis.
Je lui laissai sans fruit[6] consumer sa tendresse ;
1180 De ses derniers soupirs je me rendis maîtresse.
Mes soins, en apparence épargnant ses douleurs,

---

1. **Séditieux :** diérèse (sé-di-ti-eux).
2. **Dès longtemps :** depuis longtemps.
3. **Claudius :** diérèse (Clau-di-us).
4. **Déclin :** ici, mort.
5. **Connut :** comprit.
6. **Sans fruit :** en vain.

De son fils, en mourant[1], lui cachèrent les pleurs.
Il mourut. Mille bruits en courent à ma honte.
J'arrêtai de sa mort la nouvelle trop prompte ;
1185 Et tandis que Burrhus allait secrètement
De l'armée en vos mains exiger le serment,
Que vous marchiez au camp[2], conduit sous mes
  [auspices[3],
Dans Rome les autels fumaient de sacrifices ;
Par mes ordres trompeurs tout le peuple excité
1190 Du prince déjà mort demandait la santé.
Enfin des légions[4] l'entière obéissance
Ayant de votre empire affermi la puissance,
On vit Claude ; et le peuple, étonné de son sort,
Apprit en même temps votre règne et sa mort.
1195 C'est le sincère aveu que je voulais vous faire :
Voilà tous mes forfaits. En voici le salaire.
Du fruit de tant de soins à peine jouissant
En avez-vous six mois paru reconnaissant,
Que lassé d'un respect qui vous gênait peut-être,
1200 Vous avez affecté de ne me plus connaître.
J'ai vu Burrhus, Sénèque, aigrissant[5] vos soupçons,
De l'infidélité[6] vous tracer des leçons,
Ravis d'être vaincus dans leur propre science[7].
J'ai vu favoriser de votre confiance[8]

---

1. **En mourant :** quand il mourut.
2. **Que vous marchiez au camp :** que vous alliez au camp de la garde impériale. Le soutien de cette garde était nécessaire à Néron pour prendre le pouvoir.
3. **Auspices :** protection.
4. **Légions :** diérèse (lé-gi-ons).
5. **Aigrissant :** exaspérant.
6. **Infidélité :** ici, ingratitude.
7. **Science :** diérèse (sci-ence).
8. **Confiance :** diérèse (con-fi-ance).

1205 Othon, Sénécion[1], jeunes voluptueux[2],
Et de tous vos plaisirs flatteurs respectueux ;
Et lorsque vos mépris excitant mes murmures[3],
Je vous ai demandé raison de tant d'injures[4]
(Seul recours d'un ingrat qui se voit confondu),
1210 Par de nouveaux affronts vous m'avez répondu.
Aujourd'hui je promets Junie à votre frère ;
Ils se flattent[5] tous deux du choix de votre mère :
Que faites-vous ? Junie, enlevée à la cour[6],
Devient en une nuit l'objet de votre amour ;
1215 Je vois de votre cœur Octavie effacée,
Prête à[7] sortir du lit où je l'avais placée ;
Je vois Pallas banni, votre frère arrêté ;
Vous attentez enfin jusqu'à ma liberté :
Burrhus ose sur moi porter ses mains hardies.
1220 Et lorsque convaincu de tant de perfidies,
Vous deviez[8] ne me voir que pour les expier[9],
C'est vous qui m'ordonnez de me justifier[10].

NÉRON

Je me souviens toujours que je vous dois l'Empire ;
Et sans vous fatiguer du soin de le redire,
1225 Votre bonté, Madame, avec tranquillité
Pouvait se reposer sur ma fidélité.
Aussi bien[11] ces soupçons, ces plaintes assidues

---

1. **Sénécion** : diérèse (Sé-né-ci-on).
2. **Othon [...] voluptueux** : Othon était un jeune aristocrate connu pour ses débauches ; il fut empereur trois mois. Sénécion était le fils d'un affranchi de Claude.
3. **Murmures** : plaintes.
4. **Injures** : injustices.
5. **Ils se flattent du** : ils placent leur espoir dans le.
6. **Enlevée à la cour** : amenée par contrainte à la cour.
7. **Prête à** : sur le point de.
8. **Vous deviez** : vous auriez dû.
9. **Expier** : diérèse (ex-pi-er).
10. **Justifier** : diérèse (jus-ti-fi-er).
11. **Aussi bien** : d'ailleurs.

Ont fait croire à tous ceux qui les ont entendues
Que jadis (j'ose ici vous le dire entre nous)
1230 Vous n'aviez, sous mon nom, travaillé que pour vous.
« Tant d'honneur, disaient-ils, et tant de déférences,
Sont-ce de ses bienfaits de faibles récompenses ?
Quel crime a donc commis ce fils tant condamné ?
Est-ce pour obéir qu'elle l'a couronné ?
1235 N'est-il de son pouvoir que le dépositaire ? »
Non que, si jusque-là j'avais pu vous complaire[1],
Je n'eusse pris plaisir, Madame, à vous céder
Ce pouvoir que vos cris semblaient redemander.
Mais Rome veut un maître, et non une maîtresse.
1240 Vous entendiez les bruits qu'excitait ma faiblesse.
Le sénat chaque jour et le peuple, irrités
De s'ouïr par ma voix dicter vos volontés,
Publiaient qu'en mourant Claude avec sa puissance
M'avait encor laissé sa simple[2] obéissance.
1245 Vous avez vu cent fois nos soldats en courroux
Porter en murmurant leurs aigles[3] devant vous,
Honteux de rabaisser par cet indigne usage
Les héros dont encore elles portent l'image.
Toute autre se serait rendue à leurs discours ;
1250 Mais si vous ne régnez, vous vous plaignez toujours.
Avec Britannicus contre moi réunie,
Vous le fortifiez[4] du parti de Junie ;
Et la main de Pallas trame tous ces complots.
Et lorsque, malgré moi, j'assure mon repos,
1255 On vous voit de colère et de haine animée.
Vous voulez présenter mon rival à l'armée :
Déjà jusques au camp le bruit en a couru.

---

1. **Vous complaire** : suivre votre bon plaisir.
2. **Simple** : naïve.
3. **Aigles** : ici, le mot est au féminin et désigne les enseignes militaires ornées par les portraits des empereurs ou des dieux et une figure d'aigle.
4. **Fortifiez** : diérèse (for-ti-fi-ez).

AGRIPPINE

Moi, le faire empereur, ingrat ? L'avez-vous cru ?
Quel serait mon dessein ? Qu'aurais-je pu prétendre ?
1260 Quels honneurs dans sa cour, quel rang pourrais-je
                                              [attendre ?
Ah ! si sous votre empire on ne m'épargne pas,
Si mes accusateurs observent tous mes pas,
Si de leur empereur ils poursuivent la mère,
Que ferais-je au milieu d'une cour étrangère ?
1265 Ils me reprocheraient, non des cris impuissants,
Des desseins étouffés aussitôt que naissants,
Mais des crimes pour vous commis à votre vue,
Et dont je ne serais que trop tôt convaincue.
Vous ne me trompez point, je vois tous vos détours :
1270 Vous êtes un ingrat, vous le fûtes toujours.
Dès vos plus jeunes ans, mes soins et mes tendresses
N'ont arraché de vous que de feintes caresses[1].
Rien ne vous a pu vaincre ; et votre dureté
Aurait dû dans son cours arrêter ma bonté.
1275 Que je suis malheureuse ! Et par quelle infortune
Faut-il que tous mes soins me rendent importune ?
Je n'ai qu'un fils. Ô Ciel qui m'entends aujourd'hui,
T'ai-je fait quelques vœux qui ne fussent pour lui ?
Remords, crainte, périls, rien ne m'a retenue ;
1280 J'ai vaincu ses mépris ; j'ai détourné ma vue
Des malheurs qui dès lors me furent annoncés[2] ;
J'ai fait ce que j'ai pu : vous régnez, c'est assez.
Avec ma liberté, que vous m'avez ravie,
Si vous le souhaitez, prenez encor ma vie ;
1285 Pourvu que par ma mort tout le peuple irrité
Ne vous ravisse pas ce qui m'a tant coûté.

---

1. **Caresses** : manifestations d'affection.
2. **Annoncés** : voir la note 1, p. 102.

NÉRON

Hé bien donc ! prononcez[1]. Que voulez-vous qu'on fasse ?

AGRIPPINE

De mes accusateurs qu'on punisse l'audace.

Que de Britannicus on calme le courroux,

1290 Que Junie à son choix puisse prendre un époux,

Qu'ils soient libres tous deux, et que Pallas demeure,

Que vous me permettiez de vous voir à toute heure,

Que ce même Burrhus, qui nous vient écouter,

À votre porte enfin n'ose plus m'arrêter.

NÉRON

1295 Oui, Madame, je veux que ma reconnaissance

Désormais dans les cœurs grave votre puissance ;

Et je bénis déjà cette heureuse froideur[2],

Qui de notre amitié[3] va rallumer l'ardeur.

Quoi que Pallas ait fait, il suffit, je l'oublie ;

1300 Avec Britannicus je me réconcilie ;

Et quant à cet amour qui nous a séparés,

Je vous fais notre arbitre, et vous nous jugerez.

Allez donc, et portez cette joie à mon frère.

Gardes, qu'on obéisse aux ordres de ma mère.

---

1. **Prononcez** : exprimez vos volontés.
2. **Froideur** : querelle.
3. **Amitié** : affection.

Repères

• Après la crise qui a marqué la fin de l'acte III, le début de l'acte IV met en scène le moment clef de la tragédie : la première rencontre et l'affrontement majeur entre Agrippine et Néron. Retrouvez avec précision le moment où la mère souhaitait obtenir un entretien avec son fils. Quel effet, selon vous, Racine a-t-il cherché à produire en repoussant la rencontre si près du dénouement final ?

Observation

• Que révèlent les propos de Burrhus aux vers 1101-1102 sur sa propre situation ?
• Relevez deux termes employés par Burrhus pour désigner Néron. Quelle dimension privilégie le gouverneur ?
• Les didascalies sont rares chez Racine ; quelle signification revêt celle qui accompagne le premier discours d'Agrippine ?
• Analysez la composition de cette première tirade (v. 1115-1222) ; quels objectifs poursuit Agrippine ?
• Comment Néron riposte-t-il (v. 1223-1257). Mettez en évidence les trois phases de son argumentation ; vous paraît-il en difficulté ?
• Faites une étude détaillée de la structure de la deuxième tirade (v. 1258-1286) ; quelle tonalité introduit la série d'interrogations des premiers vers ? Étudiez le rythme du vers 1259 ; que laisse-t-il supposer sur la sincérité du personnage et sur la suite de son lamento ?
• Dans sa dernière tirade (v. 1288-1294), Agrippine change de ton devant l'attitude apparemment convaincue de Néron. Quel signal fort donne-t-elle ainsi à son fils et au spectateur ?
• Quel intérêt dramatique ménage le revirement de Néron ?

Interprétations

• À travers l'intervention de Burrhus dans la scène 1, étudiez le portrait de courtisan.
• Faites un commentaire composé de la deuxième tirade d'Agrippine en montrant surtout la dimension pathétique du discours d'un personnage complexe, gouverné par une soif de pouvoir qui l'inscrit irrémédiablement dans une perspective tragique.

SCÈNE 3. NÉRON, BURRHUS.

BURRHUS

1305 Que cette paix, Seigneur, et ces embrassements
Vont offrir à mes yeux des spectacles charmants !
Vous savez si jamais ma voix lui fut contraire,
Si de son amitié j'ai voulu vous distraire,
Et si j'ai mérité cet injuste courroux.

NÉRON

1310 Je ne vous flatte point[1], je me plaignais de vous,
Burrhus : je vous ai cru tous deux d'intelligence ;
Mais son inimitié vous rend ma confiance[2].
Elle se hâte trop, Burrhus, de triompher.
J'embrasse mon rival, mais c'est pour l'étouffer.

BURRHUS

1315 Quoi ? Seigneur.

NÉRON

C'en est trop : il faut que sa ruine[3]
Me délivre à jamais des fureurs d'Agrippine.
Tant qu'il respirera, je ne vis qu'à demi.
Elle m'a fatigué de ce nom ennemi :
Et je ne prétends pas que sa coupable audace
1320 Une seconde fois lui promette ma place.

BURRHUS

Elle va donc bientôt pleurer Britannicus.

NÉRON

Avant la fin du jour je ne le craindrai plus.

BURRHUS

Et qui de ce dessein vous inspire l'envie ?

NÉRON

Ma gloire, mon amour, ma sûreté, ma vie.

---

1. **Je ne vous flatte point** : je vous parle franchement.
2. **Confiance** : diérèse (con-fi-ance).
3. **Ruine** : la mort de Britannicus. Diérèse (ru-ine).

BURRHUS

1325 Non, quoi que vous disiez, cet horrible dessein
Ne fut jamais, Seigneur, conçu dans votre sein.

NÉRON

Burrhus !

BURRHUS

De votre bouche, ô ciel ! puis-je l'apprendre ?
Vous-même sans frémir avez-vous pu l'entendre ?
Songez-vous dans quel sang vous allez vous baigner ?
1330 Néron dans tous les cœurs est-il las de régner ?
Que dira-t-on de vous ? Quelle est votre pensée ?

NÉRON

Quoi ? toujours enchaîné de ma gloire passée,
J'aurai devant les yeux je ne sais quel amour[1]
Que le hasard nous donne et nous ôte en un jour ?
1335 Soumis à tous leurs vœux[2], à mes désirs contraire,
Suis-je leur empereur seulement pour leur plaire ?

BURRHUS

Et ne suffit-il pas, Seigneur, à vos souhaits
Que le bonheur public soit un de vos bienfaits ?
C'est à vous à choisir, vous êtes encor maître.
1340 Vertueux jusqu'ici, vous pouvez toujours l'être :
Le chemin est tracé, rien ne vous retient plus ;
Vous n'avez qu'à marcher de vertus en vertus.
Mais si de vos flatteurs vous suivez la maxime,
Il vous faudra, Seigneur, courir de crime en crime,
1345 Soutenir vos rigueurs par d'autres cruautés,
Et laver dans le sang vos bras ensanglantés.
Britannicus mourant[3] excitera le zèle
De ses amis tout prêts à prendre sa querelle[4].
Ces vengeurs trouveront de nouveaux défenseurs,

---

1. **Amour** : celui des Romains.
2. **Leurs vœux** : les souhaits des Romains.
3. **Britannicus mourant** : la mort de Britannicus.
4. **Prendre sa querelle** : prendre son parti.

1350 Qui, même après leur mort, auront des successeurs.
Vous allumez un feu qui ne pourra s'éteindre.
Craint de tout l'univers, il vous faudra tout craindre,
Toujours punir, toujours trembler dans vos projets,
Et pour vos ennemis compter tous vos sujets.
1355 Ah ! de vos premiers ans l'heureuse expérience[1]
Vous fait-elle, Seigneur, haïr votre innocence ?
Songez-vous au bonheur qui les a signalés ?
Dans quel repos, ô ciel ! les avez-vous coulés !
Quel plaisir de penser et de dire en vous-même :
1360 « Partout, en ce moment, on me bénit, on m'aime.
On ne voit point le peuple à mon nom s'alarmer ;
Le ciel dans tous leurs pleurs[2] ne m'entend point
              [nommer ;
Leur sombre inimitié ne fuit point mon visage ;
Je vois voler partout les cœurs à mon passage ! »
1365 Tels étaient vos plaisirs. Quel changement, ô Dieux !
Le sang le plus abject vous était précieux[3].
Un jour, il m'en souvient, le sénat équitable
Vous pressait de souscrire à la mort d'un coupable ;
Vous résistiez, Seigneur, à leur sévérité :
1370 Votre cœur s'accusait de trop de cruauté ;
Et plaignant les malheurs attachés à l'Empire,
« Je voudrais, disiez-vous, ne savoir pas écrire ».
Non, ou vous me croirez, ou bien de ce malheur
Ma mort m'épargnera la vue et la douleur.
1375 On ne me verra point survivre à votre gloire,
Si vous allez commettre une action[4] si noire.
Il se jette à genoux.

---

1. **Expérience** : diérèse (ex-pé-ri-ence).
2. **Leurs pleurs** : ce pluriel est contenu dans le terme collectif « peuple » (v. 1361).
3. **Précieux** : diérèse (pré-ci-eux).
4. **Action** : diérèse (ac-ti-on).

Me voilà prêt, Seigneur : avant que de[1] partir,
Faites percer ce cœur qui n'y peut consentir ;
Appelez les cruels qui vous l'ont inspirée ;
1380 Qu'ils viennent essayer leur main mal assurée.
Mais je vois que mes pleurs touchent mon empereur ;
Je vois que sa vertu frémit de leur fureur[2].
Ne perdez point de temps, nommez-moi les perfides
Qui vous osent donner ces conseils parricides[3].
1385 Appelez votre frère, oubliez dans ses bras...

NÉRON
Ah ! que demandez-vous ?

BURRHUS
                    Non, il ne vous hait pas,
Seigneur ; on le trahit : je sais son innocence ;
Je vous réponds pour lui de son obéissance.
J'y cours. Je vais presser un entretien si doux.

NÉRON
1390 Dans mon appartement qu'il m'attende avec vous.

---

1. **Avant que de :** forme usuelle au XVIIe siècle ; « avant de » et « avant que »
sont aussi en usage.
2. **Fureur :** folie.
3. **Parricides :** sous sa forme substantive, « parricide » signifie « le meurtre
du père » ; ici, comme adjectif, il qualifie le meurtre d'un proche parent.

Repères

• L'attitude conciliante de Néron avec sa mère Agrippine semble avoir éloigné l'issue tragique qui s'annonçait à la fin de l'acte III. Mais le retour de Burrhus montre qu'il s'agissait en fait d'une ruse : c'est toujours en dialoguant avec son gouverneur que Néron dévoile ses véritables intentions. Retrouvez dans les deux actes précédents les scènes concernées.

Observation

• Quelles sont les deux grandes phases de cette scène ? Que ménage-t-elle sur le plan de la progression dramatique ?
• Relevez le vers de la première réplique de Néron où celui-ci révèle sa véritable intention. Quel éclairage donne-t-il sur la psychologie du personnage ? Comment expliquez-vous la brutalité de son discours ? Que signale-t-il dans l'évolution du processus tragique ?
• Analysez le début de l'ultime tirade de Burrhus (v. 1337-1354) ; relevez les trois étapes de son argumentation.
• Sur l'ensemble de la tirade, quelle conception du pouvoir défend Burrhus ? Quelle tonalité domine son discours ? Justifiez votre réponse.
• Analysez le procédé utilisé aux vers 1359-1364 pour convaincre Néron.
• Qu'apporte la didascalie qui suit le vers 1376 ?
• Commentez la dernière réplique de Néron.

Interprétations

• Étudiez les deux conceptions du pouvoir proposées dans cette scène.
• Faites une étude comparée du plaidoyer de Burrhus et de celui d'Agrippine (dans la scène précédente).

SCÈNE 4. NÉRON, NARCISSE.

NARCISSE

Seigneur, j'ai tout prévu[1] pour une mort si juste.
Le poison est tout prêt. La fameuse Locuste[2]
A redoublé pour moi ses soins officieux[3] :
Elle a fait expirer un esclave à mes yeux ;
1395 Et le fer est moins prompt pour trancher une vie
Que le nouveau poison que sa main me confie.

NÉRON

Narcisse, c'est assez ; je reconnais[4] ce soin,
Et ne souhaite pas que vous alliez plus loin.

NARCISSE

Quoi ? pour Britannicus votre haine affaiblie
1400 Me défend...

NÉRON

Oui, Narcisse, on nous réconcilie.

NARCISSE

Je me garderai bien de vous en détourner,
Seigneur ; mais il s'est vu tantôt emprisonner :
Cette offense en son cœur sera longtemps nouvelle[5].
Il n'est point de secrets que le temps ne révèle :
1405 Il saura que ma main lui devait présenter
Un poison que votre ordre avait fait apprêter.
Les Dieux de ce dessein puissent-ils le distraire !
Mais peut-être il fera ce que vous n'osez faire.

NÉRON

On répond de son cœur ; et je vaincrai le mien.

---

1. **Prévu :** préparé.
2. **Locuste :** célèbre empoisonneuse qui fut, selon Tacite, « un instrument d'État ». Agrippine eut recours à ses services pour éliminer Claude.
3. **Officieux :** obligeants. Diérèse (of-fi-ci-eux).
4. **Je reconnais :** je vous remercie de.
5. **Nouvelle :** vivace, renouvelée.

NARCISSE

1410 Et l'hymen de Junie en[1] est-il le lien[2] ?
Seigneur, lui faites-vous encore ce sacrifice ?

NÉRON

C'est prendre trop de soin[3]. Quoi qu'il en soit, Narcisse,
Je ne le compte plus parmi mes ennemis.

NARCISSE

Agrippine, Seigneur, se l'était bien promis :
1415 Elle a repris sur vous son souverain empire.

NÉRON

Quoi donc ? Qu'a-t-elle dit ? Et que voulez-vous dire ?

NARCISSE

Elle s'en est vantée assez publiquement.

NÉRON

De quoi ?

NARCISSE

Qu'elle n'avait qu'à vous voir un moment :
Qu'à tout ce grand éclat[4], à ce courroux funeste
1420 On verrait succéder un silence modeste ;
Que vous-même à la paix souscririez le premier,
Heureux que sa bonté daignât tout oublier.

NÉRON

Mais, Narcisse, dis-moi, que veux-tu que je fasse ?
Je n'ai que trop de pente à punir son audace ;
1425 Et si je m'en croyais, ce triomphe indiscret[5]
Serait bientôt suivi d'un éternel regret.
Mais de tout l'univers quel sera le langage ?
Sur les pas des tyrans veux-tu que je m'engage,

---

1. **En** : de votre réconciliation avec Britannicus.
2. **Lien** : diérèse (li-en).
3. **Prendre trop de soin** : faire trop d'efforts.
4. **Éclat** : manifestation retentissante d'autorité (ici, de Néron).
5. **Indiscret** : sans retenue, sans discernement.

Néron (Patrice Kerbrat) et Narcisse (Nicolas Pignon).
Mise en scène de Marcelle Tassencourt et Thierry Maulnier.
Festival de Versailles, 1978.

Et que Rome, effaçant tant de titres d'honneur,
1430 Me laisse pour tous noms celui d'empoisonneur ?
Ils[1] mettront ma vengeance au rang des parricides.

NARCISSE

Et prenez-vous, Seigneur, leurs caprices pour guides ?
Avez-vous prétendu[2] qu'ils se tairaient toujours ?
Est-ce à vous de prêter l'oreille à leurs discours ?
1435 De vos propres désirs perdrez-vous la mémoire ?
Et serez-vous le seul que vous n'oserez croire ?
Mais, Seigneur, les Romains ne vous sont pas connus.

---

1. **Ils** : les Romains (pluriel suggéré par le collectif « Rome » au vers 1429).
2. **Prétendu** : prévu, escompté.

Non, non, dans leurs discours ils sont plus retenus.
Tant de précaution[1] affaiblit votre règne :
1440 Ils croiront, en effet, mériter qu'on les craigne.
Au joug depuis longtemps ils se sont façonnés :
Ils adorent la main qui les tient enchaînés.
Vous les verrez toujours ardents à vous complaire.
Leur prompte servitude a fatigué Tibère.
1445 Moi-même, revêtu d'un pouvoir emprunté,
Que je reçus de Claude avec la liberté,
J'ai cent fois, dans le cours de ma gloire passée,
Tenté[2] leur patience[3], et ne l'ai point lassée.
D'un empoisonnement vous craignez la noirceur ?
1450 Faites périr le frère, abandonnez la sœur :
Rome, sur ses autels prodiguant les victimes,
Fussent-ils innocents, leur trouvera des crimes ;
Vous verrez mettre au rang des jours infortunés[4]
Ceux où jadis la sœur et le frère sont nés.

NÉRON

1455 Narcisse, encore un coup, je ne puis l'entreprendre.
J'ai promis à Burrhus, il a fallu me rendre.
Je ne veux point encore, en lui manquant de foi[5],
Donner à sa vertu des armes contre moi.
J'oppose à ses raisons un courage inutile :
1460 Je ne l'écoute point avec un cœur tranquille.

NARCISSE

Burrhus ne pense pas, Seigneur, tout ce qu'il dit :
Son adroite vertu ménage son crédit ;
Ou plutôt ils n'ont tous qu'une même pensée :

---

1. **Précaution** : diérèse (pré-cau-ti-on).
2. **Tenté** : mis à l'épreuve.
3. **Patience** : diérèse (pa-ti-ence).
4. **Jours infortunés** : jours dits « néfastes » durant lesquels les tribunaux et les assemblées ne pouvaient siéger.
5. **De foi** : de fidélité à l'engagement pris (ici d'épargner Britannicus).

Ils verraient par ce coup leur puissance abaissée ;
1465 Vous seriez libre alors, Seigneur ; et devant vous
Ces maîtres orgueilleux fléchiraient comme nous.
Quoi donc ? ignorez-vous tout ce qu'ils osent dire ?
« Néron, s'ils en sont crus, n'est point né pour l'Empire ;
Il ne dit, il ne fait que ce qu'on lui prescrit :
1470 Burrhus conduit son cœur, Sénèque son esprit.
Pour toute ambition[1], pour vertu singulière[2],
Il excelle à conduire un char dans la carrière[3],
À disputer des prix indignes de ses mains,
À se donner lui-même en spectacle aux Romains,
1475 À venir prodiguer sa voix sur un théâtre,
À réciter des chants qu'il veut qu'on idolâtre,
Tandis que des soldats, de moments en moments,
Vont arracher pour lui les applaudissements[4]. »
Ah ! ne voulez-vous pas les forcer à se taire ?

NÉRON

1480 Viens, Narcisse. Allons voir ce que nous devons faire.

---

1. **Ambition :** diérèse (am-bi-ti-on).
2. **Singulière :** remarquable.
3. **Carrière :** piste du cirque où se déroulaient les courses de chars.
4. **Des soldats [...] applaudissements :** Racine résume un fait historique rapporté par Tacite.

REPÈRES

• Cette scène clôt les péripéties de l'acte IV sous le signe d'une issue fatale proche et préparée, comme le rappellent les premiers propos de Narcisse ; elle souligne aussi la fragilité d'un personnage sous influence : rappelez les trois influences subies par Néron dans cet acte.

OBSERVATION

• Les trois premières répliques de Néron sont à la forme affirmative : que traduisent-elles ? De ce même point de vue, que signifie l'apparition de la tournure interrogative dans son discours à partir du vers 1416 ?
• Quelle signification revêt l'emploi du « *on* » par Néron aux vers 1400 et 1409 ?
• Analysez la manœuvre de Narcisse pour déstabiliser Néron au début de l'entretien (v. 1401 à 1415) ; quel argument redonne de l'influence à Narcisse ?
• Étudiez la manière dont Narcisse dévalorise Burrhus au vers 1462.
• Commentez l'enjambement aux vers 1465-1466.
• Identifiez et nommez les figures de style employées par Narcisse aux vers 1471 à 1476. Quels effets produisent-elles ?
• La réplique de Néron aux vers 1455-1460 rappelle l'influence de Burrhus ; en observant le champ lexical dominant, caractérisez la nature de cette influence.
• Comparez le vers 1480 par lequel Néron achève la scène 4 et le vers 1390, de la scène précédente ; quel effet recherche Racine sur le plan dramatique ?

INTERPRÉTATIONS

• Étudiez la dernière tirade de Narcisse (v. 1461-1479) en montrant l'habileté de son discours qui annihile les derniers scrupules qui retenaient l'empereur en lui proposant sa propre image bafouée et donc insupportable.
• Comparez les discours contradictoires de Burrhus (v. 1337-1354) et de Narcisse (v. 1432-1448).

La dynamique tragique

Cet acte, moins riche en péripéties que les deux précédents, constitue l'acmé de la tragédie, c'est-à-dire le paroxysme de la tension tragique, puisque c'est ici que le sort de Britannicus est définitivement scellé et que la disgrâce d'Agrippine est consommée. En rappelant dans sa seconde préface que sa « *tragédie n'est pas moins la disgrâce d'Agrippine que la mort de Britannicus* », Racine souligne aussi que c'est le personnage de Néron qui commande la dynamique tragique et que c'est lorsque éclate sa vraie nature que tout se précipite.

La naissance du monstre

Après la diversité de l'acte III mêlant l'intrigue politique et l'intrigue amoureuse, l'acte IV se resserre autour de la figure de Néron : il est l'enjeu des trois discours successifs et c'est à leur issue que le monstre apparaîtra :

• Le premier discours (scène 2), celui d'Agrippine, mêle aveuglement et pathétique et constitue une double tentative de recouvrement d'un pouvoir politique et filial ; l'autoportrait critique d'Agrippine permet également au spectateur d'inscrire la monstruosité de Néron dans une filiation tragique. La stratégie de fuite adoptée par Néron et la révélation de sa duplicité à Burrhus (v. 1310-1314) marque la fin de cette tutelle.

• Le discours de Burrhus qui se place sur le plan de l'éthique tout en jouant sur le registre pathétique (v. 1377-1385) laisse planer un dernier doute sur la décision de Néron ; il permet de relancer près du dénouement l'intérêt dramatique et de montrer la complexité de l'exploration d'un « moi » tyrannique.

• Le discours de Narcisse sort rapidement du champ politique et amoureux et sollicite les pulsions profondes de Néron (v. 1435). Ce discours annihile tous les autres et révèle en quelque sorte Néron à lui-même, c'est-à-dire un être gouverné par un désir absolu de domination et de plaisir ; dès lors tout est joué.

ACTE V

SCÈNE PREMIÈRE. BRITANNICUS, JUNIE.

BRITANNICUS

Oui, Madame, Néron (qui l'aurait pu penser ?)
Dans son appartement m'attend pour m'embrasser.
Il y fait de sa cour inviter la jeunesse ;
Il veut que d'un festin la pompe et l'allégresse
1485 Confirment à leurs yeux[1] la foi de nos serments,
Et réchauffent l'ardeur de nos embrassements,
Il éteint cet amour[2], source de tant de haine ;
Il vous fait de mon sort arbitre souveraine.
Pour moi, quoique banni du rang de mes aïeux,
1490 Quoique de leur dépouille il se pare à mes yeux,
Depuis qu'à mon amour cessant d'être contraire
Il semble me céder la gloire de vous plaire,
Mon cœur, je l'avoûrai[3], lui pardonne en secret,
Et lui laisse le reste avec moins de regret.
1495 Quoi ! je ne serai plus séparé de vos charmes ?
Quoi ! même en ce moment je puis voir sans alarmes
Ces yeux que n'ont émus ni soupirs ni terreurs,
Qui m'ont sacrifié[4] l'Empire et l'Empereur ?
Ah ! Madame. Mais quoi ? Quelle nouvelle crainte
1500 Tient parmi mes transports votre joie en contrainte ?
D'où vient qu'en m'écoutant, vos yeux, vos tristes yeux
Avec de longs regards se tournent vers les cieux ?
Qu'est-ce que vous craignez ?

---

1. **Leurs yeux** : le terme collectif « *jeunesse* » (v. 1483) justifie ce pluriel.
2. **Cet amour** : cette passion subite de Néron pour Junie.
3. **Avoûrai** : au lieu de « avouerai » pour respecter la mesure du vers.
4. **Sacrifié** : diérèse (sa-cri-fi-é).

Junie (Danielle Ajoret) et Britannicus (Michel Bernardy).
Mise en scène de Michel Vitold.
Comédie-Française, 1961.

JUNIE
> Je l'ignore moi-même ;
Mais je crains.

BRITANNICUS
> Vous m'aimez ?

JUNIE
> Hélas ! si je vous aime ?

BRITANNICUS
1505 Néron ne trouble plus notre félicité.

JUNIE
> Mais me répondrez-vous de sa sincérité ?

BRITANNICUS
> Quoi ! vous le soupçonnez d'une haine couverte[1] ?

JUNIE
> Néron m'aimait tantôt, il jurait votre perte ;
> Il me fuit, il vous cherche : un si grand changement
1510 Peut-il être, Seigneur, l'ouvrage d'un moment ?

BRITANNICUS
> Cet ouvrage, Madame, est un coup d'Agrippine :
> Elle a cru que ma perte entraînait sa ruine.
> Grâce aux préventions[2] de son esprit jaloux,
> Nos plus grands ennemis ont combattu pour nous.
1515 Je m'en fie aux transports qu'elle m'a fait paraître ;
> Je m'en fie à Burrhus ; j'en crois même son maître :
> Je crois qu'à mon exemple, impuissant à trahir,
> Il hait à cœur ouvert, ou cesse de haïr.

JUNIE
> Seigneur, ne jugez pas de son cœur par le vôtre :
1520 Sur des pas différents[3] vous marchez l'un et l'autre.
> Je ne connais Néron et la cour que d'un jour ;
> Mais (si je l'ose dire), hélas ! dans cette cour
> Combien tout ce qu'on dit est loin de ce qu'on pense !

---

1. **Couverte** : cachée.
2. **Préventions** : préjugés, soupçons. Diérèse (pré-ven-ti-ons).
3. **Des pas différents** : des voies différentes.

Que la bouche et le cœur sont peu d'intelligence[1] !
1525 Avec combien de joie on y trahit sa foi !
Quel séjour étranger et pour vous et pour moi !

BRITANNICUS

Mais que son amitié soit véritable ou feinte,
Si vous craignez Néron, lui-même est-il sans crainte ?
Non, non, il n'ira point, par un lâche attentat,
1530 Soulever contre lui le peuple et le sénat.
Que dis-je ? il reconnaît sa dernière injustice.
Ses remords ont paru, même aux yeux de Narcisse.
Ah ! s'il vous avait dit, ma Princesse, à quel point...

JUNIE

Mais Narcisse, Seigneur, ne vous trahit-il point ?

BRITANNICUS

1535 Et pourquoi voulez-vous que mon cœur s'en défie ?

JUNIE

Et que sais-je ? Il y va, Seigneur, de votre vie.
Tout m'est suspect : je crains que tout ne soit séduit ;
Je crains Néron ; je crains le malheur qui me suit.
D'un noir pressentiment malgré moi prévenue,
1540 Je vous laisse à regret éloigner[2] de ma vue.
Hélas ! si cette paix dont vous vous repaissez
Couvrait contre vos jours quelque piège dressé !
Si Néron, irrité de notre intelligence,
Avait choisi la nuit pour cacher sa vengeance !
1545 S'il préparait ses coups, tandis que je vous vois !
Et si je vous parlais pour la dernière fois !
Ah ! Prince !

BRITANNICUS

Vous pleurez ! Ah ! ma chère Princesse !
Et pour moi jusque-là votre cœur s'intéresse ?
Quoi ! Madame, en un jour où plein de sa grandeur,
1550 Néron croit éblouir vos yeux de sa splendeur,

---

1. **Sont peu d'intelligence :** ont peu d'entente, de complicité.
2. **Éloigner :** vous éloigner (omission du pronom réfléchi).

Dans des lieux où chacun me fuit et le révère,
Aux pompes de sa cour préférer ma misère !
Quoi ? dans ce même jour et dans ces mêmes lieux,
Refuser un empire, et pleurer à mes yeux !
1555 Mais, Madame, arrêtez ces précieuses[1] larmes :
Mon retour va bientôt dissiper vos alarmes.
Je me rendrais suspect par un plus long séjour[2].
Adieu : je vais, le cœur tout plein de mon amour,
Au milieu des transports d'une aveugle jeunesse[3],
1560 Ne voir, n'entretenir que ma belle Princesse.
Adieu.

JUNIE
        Prince...

BRITANNICUS
                On m'attend, Madame, il faut partir.

JUNIE
Mais du moins attendez qu'on vous vienne avertir.

Scène 2. Agrippine, Britannicus, Junie.

AGRIPPINE
Prince, que[4] tardez-vous ? Partez en diligence[5] ;
Néron impatient[6] se plaint de votre absence.
1565 La joie et le plaisir de tous les conviés[7]
Attend[8] pour éclater que vous vous embrassiez.

---

1. **Précieuses** : diérèse (pré-ci-euses).
2. **Par un plus long séjour** : en demeurant ici plus longtemps.
3. **Aveugle jeunesse** : insensible à la beauté de Junie (contrairement à Britannicus).
4. **Que** : pourquoi.
5. **En diligence** : en hâte.
6. **Impatient** : diérèse (im-pa-ti-ent).
7. **Conviés** : diérèse (con-vi-és).
8. **Attend** : accord du verbe avec le sujet le plus proche (« le plaisir »).

Ne faites point languir une si juste envie :
Allez. Et nous, Madame, allons chez Octavie.

BRITANNICUS

Allez, belle Junie, et d'un esprit content
1570 Hâtez-vous d'embrasser ma sœur qui vous attend.
Dès que je le pourrai, je reviens sur vos traces,
Madame ; et de vos soins j'irai vous rendre grâces.

SCÈNE 3. AGRIPPINE, JUNIE.

AGRIPPINE

Madame, ou je me trompe, ou durant vos adieux
Quelques pleurs répandus ont obscurci vos yeux.
1575 Puis-je savoir quel trouble a formé ce nuage ?
Doutez-vous d'une paix dont je fais mon ouvrage ?

JUNIE

Après tous les ennuis[1] que ce jour m'a coûtés,
Ai-je pu rassurer mes esprits[2] agités ?
Hélas ! à peine encor je conçois ce miracle.
1580 Quand même à vos bontés je craindrais quelque
     [obstacle[3],
Le changement, Madame, est commun à la cour ;
Et toujours quelque crainte accompagne l'amour.

AGRIPPINE

Il suffit. J'ai parlé, tout a changé de face.
Mes soins à vos soupçons ne laissent point de place.
1585 Je réponds d'une paix jurée entre mes mains :
Néron m'en a donné des gages trop certains.
Ah ! si vous aviez vu par combien de caresses

---

1. **Ennuis :** tourments, chagrins.
2. **Mes esprits :** les fortes émotions de mon cœur.
3. **Quand même [...] obstacle :** sous-entendu avec le vers suivant : « ce ne serait pas étonnant, car... ».

Il m'a renouvelé la foi de ses promesses !
Par quels embrassements il vient de m'arrêter !
1590 Ses bras, dans nos adieux, ne pouvaient me quitter ;
Sa facile[1] bonté, sur son front répandue,
Jusqu'aux moindres secrets est d'abord[2] descendue.
Il s'épanchait en fils, qui vient en liberté
Dans le sein de sa mère oublier sa fierté.
1595 Mais bientôt, reprenant un visage sévère,
Tel que d'un empereur qui consulte sa mère,
Sa confidence auguste a mis entre mes mains
Des secrets d'où dépend le destin des humains.
Non, il le faut ici confesser à sa gloire,
1600 Son cœur n'enferme point une malice[3] noire ;
Et nos seuls ennemis, altérant sa bonté,
Abusaient contre nous de sa facilité.
Mais enfin, à son tour, leur puissance décline ;
Rome encore une fois va connaître Agrippine :
1605 Déjà de ma faveur on adore le bruit[4].
Cependant en ces lieux n'attendons pas la nuit.
Passons chez Octavie, et donnons-lui le reste
D'un jour autant heureux que je l'ai cru funeste.
Mais qu'est-ce que j'entends ? Quel tumulte confus ?
1610 Que peut-on faire ?

JUNIE
Ô Ciel, sauvez Britannicus !

---

1. **Facile :** bienveillante.
2. **D'abord :** aussitôt, d'emblée.
3. **Malice :** méchanceté.
4. **Le bruit :** la nouvelle.

REPÈRES

• Le dénouement tragique est imminent : les futures victimes sont réunies une dernière fois ; quel dernier coup de théâtre anime ces scènes et laisse entrevoir un possible espoir ? Quel effet dramatique recherche Racine ?

OBSERVATION

• Rapprochez le vers 1482 du vers 1314 prononcé par Néron ; quel écho peut-il susciter chez le spectateur ?
• Relevez le champ lexical qui domine la tirade de Britannicus aux vers 1511-1518 ; que nous apprend-il sur le caractère du personnage ?
• Montrez que la réponse de Junie (v. 1519-1526) implique une perception différente de la situation.
• Analysez la versification du vers 1523 et sa signification.
• Relevez quelques exemples où Junie doute ouvertement du revirement de Néron. Qu'apporte sa suspicion à l'atmosphère du moment ?
• Montrez comment le vers 1561 contribue à la montée du tragique.
• Dans la scène 2, quel indice verbal souligne le sentiment de triomphe éprouvé par Agrippine ? En quoi est-il tragique ?
• Dans la scène 3, relevez deux termes qui indiquent la temporalité ; étudiez leur signification du point de vue dramatique.
• Quel trait de caractère confirme la tirade d'Agrippine ?

INTERPRÉTATIONS

• Faites un portrait de Junie en vous appuyant sur les principales caractéristiques de son discours.
• Étudiez l'image de Néron telle qu'elle apparaît au travers des discours de Britannicus et d'Agrippine.

SCÈNE 4. AGRIPPINE, JUNIE, BURRHUS.

AGRIPPINE

Burrhus, où courez-vous ? Arrêtez. Que veut dire...

BURRHUS

Madame, c'en est fait, Britannicus expire.

JUNIE

Ah ! mon Prince.

AGRIPPINE

Il expire ?

BURRHUS

Ou plutôt il est mort,

Madame.

JUNIE

Pardonnez, Madame, à ce transport[1].
1615 Je vais le secourir, si je puis, ou le suivre.

SCÈNE 5. AGRIPPINE, BURRHUS.

AGRIPPINE

Quel attentat, Burrhus !

BURRHUS

Je n'y pourrai survivre,

Madame : il faut quitter la cour et l'Empereur.

AGRIPPINE

Quoi ? du sang de son frère il n'a point eu d'horreur ?

BURRHUS

Ce dessein s'est conduit avec plus de mystère[2].
1620 À peine l'Empereur a vu venir son frère,

----

1. **Ce transport** : cette émotion manifestée.
2. **Ce dessein [...] mystère** : ce projet s'est réalisé de façon plus
machiavélique (au vers précédent, Agrippine croit que Britannicus a été
poignardé).

Il se lève, il l'embrasse, on se tait, et soudain
César prend le premier une coupe à la main :
« Pour achever ce jour sous de meilleurs auspices[1],
Ma main de cette coupe épanche les prémices[2],
1625 Dit-il ; Dieux, que j'appelle à cette effusion[3],
Venez favoriser notre réunion[4]. »
Par les mêmes serments Britannicus se lie ;
La coupe dans ses mains par Narcisse est remplie ;
Mais ses lèvres à peine en ont touché les bords,
1630 Le fer[5] ne produit point de si puissants efforts[6],
Madame : la lumière à ses yeux est ravie,
Il tombe sur son lit[7] sans chaleur et sans vie.
Jugez combien ce coup[8] frappe tous les esprits :
La moitié s'épouvante et sort avec des cris ;
1635 Mais ceux qui de la cour ont un plus long usage
Sur les yeux de César composent[9] leur visage.
Cependant[10] sur son lit il demeure penché ;
D'aucun étonnement il ne paraît touché :
« Ce mal[11] dont vous craignez, dit-il, la violence[12]
1640 A souvent sans péril attaqué son enfance. »
Narcisse veut en vain affecter quelque ennui[13],
Et sa perfide joie éclate malgré lui.
Pour moi, dût l'Empereur punir ma hardiesse[14],

---

1. **Auspices** : présages.
2. **Épanche les prémices** : verse les premières gouttes, selon le rituel, en l'honneur des dieux.
3. **Effusion** : le fait de répandre le vin. Diérèse (ef-fu-si-on).
4. **Réunion** : ici, réconciliation. Diérèse (ré-u-ni-on).
5. **Le fer** : l'épée.
6. **Efforts** : effets.
7. **Sur son lit** : les Romains mangeaient couchés lors des banquets.
8. **Coup** : événement inattendu.
9. **Composent** : règlent, arrangent.
10. **Cependant** : pendant ce temps.
11. **Ce mal** : Britannicus aurait souffert d'épilepsie.
12. **Violence** : diérèse (vi-o-lence).
13. **Ennui** : ici, peine profonde.
14. **Hardiesse** : diérèse (har-di-esse).

D'une odieuse[1] cour j'ai traversé la presse[2] ;
1645 Et j'allais, accablé de cet assassinat,
Pleurer Britannicus, César et tout l'État.

AGRIPPINE

Les voici. Vous verrez si c'est moi qui l'inspire.

SCÈNE 6. AGRIPPINE, NÉRON, BURRHUS, NARCISSE.

NÉRON, *voyant Agrippine.*

Dieux !

AGRIPPINE

Arrêtez, Néron. J'ai deux mots à vous dire.
Britannicus est mort, je reconnais les coups ;
1650 Je connais l'assassin.

NÉRON

Et qui, Madame ?

AGRIPPINE

Vous.

NÉRON

Moi ! Voilà les soupçons dont vous êtes capable.
Il n'est point de malheurs dont je ne sois coupable ;
Et si l'on veut, Madame, écouter vos discours,
Ma main de Claude même aura tranché les jours.
1655 Son fils vous était cher : sa mort peut vous confondre[3] ;
Mais des coups du destin je ne puis pas répondre.

AGRIPPINE

Non, non, Britannicus est mort empoisonné :
Narcisse a fait le coup, vous l'avez ordonné.

---

1. **Odieuse :** diérèse (o-di-euse).
2. **La presse :** la foule des courtisans.
3. **Vous confondre :** anéantir vos espoirs.

Agrippine (Françoise Fabian).
Mise en scène de Claude Santelli.
Vaison-la-Romaine, 1985.

NÉRON

Madame ! mais qui peut vous tenir ce langage ?

NARCISSE

1660 Hé ! Seigneur, ce soupçon vous fait-il tant d'outrage ?
Britannicus, Madame, eut des desseins secrets
Qui vous auraient coûté de plus justes regrets.
Il aspirait plus loin qu'à l'hymen de Junie :
De vos propres bontés il vous aurait punie.
1665 Il vous trompait vous-même ; et son cœur offensé
Prétendait tôt ou tard rappeler le passé[1].
Soit donc que, malgré vous, le sort vous ait servie,
Soit qu'instruit des complots qui menaçaient sa vie,
Sur ma fidélité César s'en soit remis,
1670 Laissez les pleurs, Madame, à vos seuls ennemis.
Qu'ils mettent ce malheur au rang des plus sinistres ;
Mais vous...

AGRIPPINE

Poursuis, Néron, avec de tels ministres[2].
Par des faits glorieux[3] tu te vas signaler.
Poursuis. Tu n'as pas fait ce pas pour reculer.
1675 Ta main a commencé par le sang de ton frère ;
Je prévois que tes coups viendront jusqu'à ta mère.
Dans le fond de ton cœur je sais que tu me hais ;
Tu voudras t'affranchir du joug de mes bienfaits.
Mais je veux que ma mort te soit même inutile.
1680 Ne crois pas qu'en mourant je te laisse tranquille.
Rome, ce ciel, ce jour que tu reçus de moi,
Partout, à tout moment, m'offriront devant toi.
Tes remords te suivront comme autant de furies[4] ;
Tu croiras les calmer par d'autres barbaries ;

---

1. **Rappeler le passé** : faire revivre le passé, c'est-à-dire rappeler que Britannicus devait devenir empereur.
2. **Ministres** : exécutants, serviteurs.
3. **Glorieux** : diérèse (glo-ri-eux).
4. **Furies** : divinités qui tourmentent la conscience des criminels.

1685 Ta fureur, s'irritant soi-même dans son cours,
D'un sang toujours nouveau marquera tous tes jours.
Mais j'espère qu'enfin le ciel, las de tes crimes,
Ajoutera ta perte à tant d'autres victimes ;
Qu'après t'être couvert de leur sang et du mien,
1690 Tu te verras forcé de répandre le tien ;
Et ton nom paraîtra, dans la race future,
Aux plus cruels tyrans une cruelle injure.
Voilà ce que mon cœur se présage de toi[1].
Adieu : tu peux sortir.

NÉRON

Narcisse, suivez-moi.

---

1. **Se présage de toi :** prévoit pour toi.

Repères

• Le dénouement tragique s'est produit. Burrhus rapporte les circonstances de l'assassinat de Britannicus. Une seconde et dernière fois, Agrippine et Néron s'affrontent : en comparant avec la scène 2 de l'acte IV, montrez que les rapports entre les deux personnages sont irrémédiablement rompus.

Observation

• Par quel procédé Racine exprime-t-il l'affolement qui s'empare des personnages dans la scène 4 ?
• Que permet la tirade de Burrhus dans la scène 5 (v. 1619-1646) par rapport au respect des règles dramatiques ?
• Étudiez la manière dont Burrhus fait revivre la scène de l'empoisonnement.
• Quelle image donne-t-il de Néron ? De Narcisse ?
• Quelles significations revêt l'intervention de Narcisse (v. 1660-1671) ?
• Commentez l'emploi de l'impératif au début de la tirade d'Agrippine ; fréquemment utilisé par Agrippine, ce mode a-t-il ici la même signification ?
• Relevez et nommez la figure employée au vers 1673. Quel effet recherche le personnage ?
• Relevez le champ lexical dominant dans la tirade d'Agrippine (v. 1672-1694) ; que contribue-t-il à mettre en place ?
• Analysez l'emploi du futur dans la tirade d'Agrippine.
• En quoi le personnage de Néron se rapproche-t-il de l'image de l'empereur Néron telle que l'histoire l'a retenue ?

Interprétations

• Faites une analyse de l'ultime tirade d'Agrippine (v. 1672-1694) en montrant le caractère imprécatoire de son discours et la prédiction du destin tragique qui attend Néron.

SCÈNE 7. AGRIPPINE, BURRHUS.

AGRIPPINE

1695 Ah ciel ! de mes soupçons quelle était l'injustice !
Je condamnais Burrhus, pour écouter Narcisse.
Burrhus, avez-vous vu quels regards furieux[1]
Néron en me quittant m'a laissés pour adieux ?
C'en est fait : le cruel n'a plus rien qui l'arrête ;
1700 Le coup qu'on m'a prédit va tomber sur ma tête[2].
Il vous accablera vous-même à votre tour[3].

BURRHUS

Ah ! Madame, pour moi j'ai vécu trop d'un jour[4].
Plût au ciel que sa main, heureusement cruelle,
Eût fait sur moi l'essai de sa fureur nouvelle !
1705 Qu'il ne m'eût pas donné, par ce triste attentat,
Un gage trop certain des malheurs de l'État !
Son crime seul n'est pas ce qui me désespère ;
Sa jalousie a pu l'armer contre son frère ;
Mais s'il vous faut, Madame, expliquer ma douleur,
1710 Néron l'a vu mourir sans changer de couleur.
Ses yeux indifférents ont déjà la constance[5]
D'un tyran dans le crime endurci dès l'enfance.
Qu'il achève, Madame, et qu'il fasse périr
Un ministre importun, qui ne le peut souffrir.
1715 Hélas ! loin de vouloir[6] éviter sa colère,
La plus soudaine mort me sera la plus chère.

---

1. **Furieux** : diérèse (fu-ri-eux).
2. **Le coup [...] ma tête** : Agrippine sera assassinée quatre ans plus tard sur ordre de Néron.
3. **Votre tour** : Burrhus mourra mystérieusement sept ans plus tard.
4. **Trop d'un jour** : un jour de trop.
5. **Constance** : insensibilité, dureté.
6. **Loin de vouloir** : loin que je veuille.

SCÈNE 8. ALBINE, AGRIPPINE, BURRHUS.

ALBINE

Ah ! Madame, ah ! Seigneur, courez vers l'Empereur :
Venez sauver César de sa propre fureur.
Il se voit pour jamais séparé de Junie.

AGRIPPINE

1720 Quoi ? Junie elle-même a terminé sa vie ?

ALBINE

Pour accabler César d'un éternel ennui,
Madame, sans mourir, elle est morte pour lui.
Vous savez de ces lieux comme elle s'est ravie[1] :
Elle a feint de passer chez la triste Octavie ;
1725 Mais bientôt elle a pris des chemins écartés,
Où mes yeux ont suivi ses pas précipités.
Des portes du palais elle sort éperdue.
D'abord elle a d'Auguste aperçu la statue[2] ;
Et mouillant de ses pleurs le marbre de ses pieds,
1730 Que de ses bras pressants[3] elle tenait liés[4] :
« Prince, par ces genoux, dit-elle, que j'embrasse,
Protège en ce moment le reste de ta race[5].
Rome dans ton palais vient de voir immoler
Le seul de tes neveux[6] qui te pût ressembler.
1735 On veut après sa mort que je lui sois parjure ;
Mais pour lui conserver une foi toujours pure,
Prince, je me dévoue[7] à ces Dieux immortels
Dont ta vertu t'a fait partager les autels[8]. »

---

1. **Ravie** : enfuie.
2. **La statue** : cette statue d'Auguste se trouvait sur le Forum, près du temple de Vesta.
3. **Pressants** : qui les pressaient.
4. **Liés** : diérèse (li-és).
5. **Le reste de ta race** : Junie est la dernière représentante de la descendance d'Auguste (voir le tableau généalogique p. 202).
6. **Neveux** : ici, descendants.
7. **Je me dévoue** : je me consacre.
8. **Partager les autels** : après sa mort, Auguste avait été divinisé.

Le peuple cependant, que ce spectacle étonne,
1740 Vole de toutes parts, se presse, l'environne,
S'attendrit à ses pleurs, et plaignant son ennui,
D'une commune voix la prend sous son appui.
Ils la mènent au temple, où depuis tant d'années
Au culte des autels nos vierges destinées
1745 Gardent fidèlement le dépôt précieux[1]
Du feu toujours ardent qui brûle pour nos Dieux.
César les voit partir sans oser les distraire[2].
Narcisse, plus hardi, s'empresse pour lui plaire.
Il vole vers Junie, et sans s'épouvanter,
1750 D'une profane main commence à l'arrêter.
De mille coups mortels son audace est punie ;
Son infidèle sang rejaillit sur Junie.
César, de tant d'objets[3] en même temps frappé,
Le laisse entre les mains qui l'ont enveloppé.
1755 Il rentre. Chacun fuit son silence farouche.
Le seul nom de Junie échappe de sa bouche.
Il marche sans dessein ; ses yeux mal assurés
N'osent lever au ciel leurs regards égarés ;
Et l'on craint, si la nuit jointe à la solitude
1760 Vient de son désespoir aigrir l'inquiétude[4],
Si vous l'abandonnez plus longtemps sans secours,
Que sa douleur bientôt n'attente sur ses jours.
Le temps presse : courez. Il ne faut qu'un caprice,
Il se perdrait[5], Madame.

---

1. **Précieux :** diérèse (pré-ci-eux).
2. **Les distraire :** ici, les empêcher.
3. **Objets :** spectacles.
4. **L'inquiétude :** l'agitation tourmentée. Diérèse (l'in-qui-é-tude).
5. **Se perdrait :** se tuerait.

AGRIPPINE
Il se ferait justice.
1765 Mais, Burrhus, allons voir jusqu'où vont ses transports.
Voyons quel changement produiront ses remords,
S'il voudra désormais suivre d'autres maximes[1].

BURRHUS
Plût aux Dieux que ce fût le dernier de ses crimes !

---

1. **Maximes :** règles de conduite.

REPÈRES

• La tragédie est consommée. Les personnages qui ouvraient la pièce assurent la conclusion ; Agrippine et Burrhus dressent le bilan de leur échec tandis que le récit d'Albine parachève le dénouement. Relevez quelques éléments montrant que ces êtres en sursis prévoient leur fin prochaine.

OBSERVATION

• Pourquoi la réconciliation finale d'Agrippine et de Burrhus prend-elle un tour pathétique ? Que recherche Racine ?
• Étudiez le portrait de Néron brossé par Burrhus dans sa tirade (v. 1702-1716).
• Pourquoi, selon vous, Narcisse est-il lynché après le dénouement ?
• Que suggère le comportement final de Néron évoqué dans la tirade d'Albine ?
• Relevez dans la dernière scène le terme qui souligne le respect d'une règle dramatique par Racine. Quelle est aussi sa valeur symbolique ?
• Pourquoi Burrhus prononce-t-il le dernier vers ?
• Comment expliquez-vous l'omniprésence d'Agrippine dans l'acte d'exposition et dans l'acte du dénouement ?

INTERPRÉTATIONS

• Agrippine et Burrhus mesurent leur échec et l'anéantissement de tous leurs projets ; faites un bref portrait de ces deux personnages.
• Ces deux scènes surviennent après le dénouement tragique, c'est-à-dire la mort de Britannicus ; montrez en quoi elles contribuent cependant à parachever l'action dramatique et expriment également la conception racinienne de la tragédie.

Le dénouement tragique

Le dénouement du conflit impose une issue fatale : Britannicus, personnage éponyme de l'œuvre (et à ce titre, victime désignée), meurt empoisonné (scène 4) ; Junie se réfugie chez les vestales pour se soustraire à Néron (scène 8) ; Narcisse, son forfait accompli, meurt lynché par la foule qui protège la fuite de Junie (scène 8) ; Agrippine prévoit sa fin prochaine (v. 1700) et Burrhus, inquiet d'avoir découvert la nature monstrueuse de Néron, pressent qu'il est en sursis (scène 7). Quant à Néron, son comportement final suggère une folie grandissante.

Le dénouement dramatique

L'annonce de la mort de Britannicus survient à la scène 4 et des circonstances de celle-ci à la scène suivante avec le récit de Burrhus (v. 1619-1646) ; des critiques se sont élevées pour reprocher à Racine d'avoir ainsi prolongé sa pièce au-delà de la mort du personnage-titre avec les scènes 6, 7 et 8. Le dramaturge a justifié leur présence par la nécessité de donner aux spectateurs une « *action complète* » où le destin des personnes qui participent à l'action soit connu : c'est pourquoi il lui a paru nécessaire de consacrer des vers « *aux imprécations d'Agrippine, à la retraite de Junie, à la punition de Narcisse, et au désespoir de Néron, après la mort de Britannicus* » « Première préface ».

La tension dramatique

En poursuivant ainsi après la mort de Britannicus, Racine maintient une forte tension dramatique qui correspond à un triple objectif :
• appliquer son principe de « *plaire et de toucher* » ;
• se conformer, avec le récit de Burrhus (scène 5) et d'Albine (scène 8), à une règle qu'il énonce dans sa première préface : « *ne mettre en récit que les choses qui ne se peuvent passer en action* » ;
• inscrire Agrippine (affrontement de la scène 6) et Néron (portrait de la scène 8) dans une perspective historique ; d'une certaine manière, renvoyer ces deux personnages dans l'histoire où il les a saisis le temps de sa tragédie.

Comment lire l'œuvre

ACTION ET PERSONNAGES

L'action
Schéma narratif

DANS LES COULISSES DU POUVOIR

Agrippine explique que son fils Néron tente de l'écarter du pouvoir et affronte Burrhus, gouverneur de Néron. L'arrivée de Britannicus, inquiet de l'enlèvement de Junie, lui suggère une nouvelle alliance ; l'amant de Junie s'étonne devant Narcisse, son gouverneur, de la nouvelle attitude d'Agrippine.

EXPOSITION

DES ACTIONS TRAGIQUES

Néron apparaît et confirme les inquiétudes d'Agrippine : poussé par Narcisse, traître à Britannicus, il persécute Junie et Britannicus et repousse le discours moralisateur de Burrhus ; ce dernier tente vainement de s'allier avec Agrippine et ne peut éviter l'affrontement entre Britannicus et Néron, devenus des rivaux politiques et amoureux. La double arrestation de Britannicus et d'Agrippine et l'émergence de la figure du tyran constituent la première expression du tragique qui pèse sur les personnages.

NŒUD

LES FORFAITS D'UN TYRAN

L'affrontement direct entre Néron et Agrippine et le discours pathétique de Burrhus restent vains et n'infléchissent pas le tyran, qui cède, sous l'influence de Narcisse, à ses pulsions meurtrières. La mort de Britannicus marque le début d'un engrenage tragique.

DÉNOUEMENT

• L'intrigue passionnelle et l'intrigue politique structurent le schéma narratif ; pour quelles raisons Racine les a-t-il associées d'une manière aussi étroite ?
Montrez comment la présence ou l'absence de tel ou tel personnage ponctue la progression du schéma narratif.

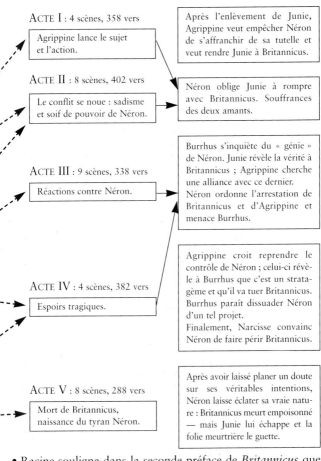

ACTE I : 4 scènes, 358 vers

Agrippine lance le sujet et l'action.

Après l'enlèvement de Junie, Agrippine veut empêcher Néron de s'affranchir de sa tutelle et veut rendre Junie à Britannicus.

ACTE II : 8 scènes, 402 vers

Le conflit se noue : sadisme et soif de pouvoir de Néron.

Néron oblige Junie à rompre avec Britannicus. Souffrances des deux amants.

ACTE III : 9 scènes, 338 vers

Réactions contre Néron.

Burrhus s'inquiète du « génie » de Néron. Junie révèle la vérité à Britannicus ; Agrippine cherche une alliance avec ce dernier. Néron ordonne l'arrestation de Britannicus et d'Agrippine et menace Burrhus.

ACTE IV : 4 scènes, 382 vers

Espoirs tragiques.

Agrippine croit reprendre le contrôle de Néron ; celui-ci révèle à Burrhus que c'est un stratagème et qu'il va tuer Britannicus. Burrhus paraît dissuader Néron d'un tel projet.
Finalement, Narcisse convainc Néron de faire périr Britannicus.

ACTE V : 8 scènes, 288 vers

Mort de Britannicus, naissance du tyran Néron.

Après avoir laissé planer un doute sur ses véritables intentions, Néron laisse éclater sa vraie nature : Britannicus meurt empoisonné — mais Junie lui échappe et la folie meurtrière le guette.

• Racine souligne dans la seconde préface de *Britannicus* que c'est la tragédie qu'il a « *le plus travaillée* ». À partir des éléments fournis par le schéma narratif et de la structure de la pièce, montrez comment le dramaturge a effectivement mis en place un rythme complexe.

Les personnages
Schéma actantiel

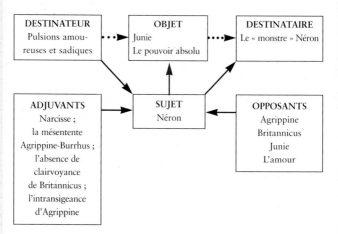

L'observation des fonctions des personnages permet de mieux comprendre l'œuvre ; ici, Britannicus, Agrippine et Néron apparaissent comme les forces agissantes dont les actions assurent la progression de l'intrigue ; sur un second plan, Narcisse, Burrhus et Junie participent également par leur statut d'opposant ou d'adjuvant au mouvement de l'action dramatique. Dans le cas des deux gouverneurs, le statut est complexe : Burrhus, en défendant Néron face aux attaques d'Agrippine, favorise la naissance du tyran (acte I, scène 2 ; acte III, scène 3), mais en défendant une certaine morale politique (acte IV, scène 3) il s'oppose au projet et au cynisme de Néron ; Narcisse, dont la traîtrise est connue tôt par le spectateur mais tard par les protagonistes (acte V, scène 5), semble soutenir les projets de Britannicus (acte I, scène 4) mais organise en secret sa perte (acte II, scène 8 ; acte IV, scène 4). Ainsi, Britannicus, personnage-titre de l'œuvre, cherche à retrouver son amante Junie enlevée par Néron et, accessoirement, à récupérer le pouvoir politique dont il a été dépossédé. De son côté Agrippine tente de reprendre le contrôle filial et politique de son fils Néron ; mais c'est indéniablement Néron qui oriente la dynamique tragique de l'action par sa volonté d'émancipation et son besoin irrépressible d'assouvir sa soif de pouvoir et ses pulsions sadiques. Le schéma actantiel proposé ci-dessus se place donc du point de vue de ce personnage.

Pour compléter ce bref aperçu de la structure actantielle de *Britannicus*, il convient de préciser que, parmi les forces agissantes, les « actants », il y a d'autres éléments et notamment tout ce qui motive et détermine les personnages, comme les désirs, les pulsions, l'image de soi, le pouvoir filial, la loi morale ; ainsi, la personnalité de Néron est traversée par des forces contraires que ses actions traduisent : il est en quête de pouvoir absolu mais son inhibition face à Agrippine joue comme une force dilatoire (acte I, scène 1 ; acte IV, scène 2) au même titre que l'intégrité de son image vis-à-vis d'autrui : Burrhus utilise cette force de manière positive à la scène 3 de l'acte IV et Narcisse de manière négative dans la scène suivante.

La liste des personnages

La lecture d'une œuvre dramatique suppose une bonne connaissance des personnages qui vont l'animer : de ce point de vue, l'examen de la liste des personnages, précédant la pièce elle-même, fournit de précieuses indications : les noms, toujours porteurs de sens, les statuts sociaux, politiques, les filiations et les relations.

Britannicus présente six personnages, exception faite d'Albine, confidente d'Agrippine, dont le rôle est strictement limité à l'ouverture et à la fermeture du processus tragique. Deux couples majeurs dominent cette liste :

Le premier couple est fondé sur une relation filiale : Néron, « *empereur, fils d'Agrippine* », Agrippine, « *veuve de Domitius Enobarbus, père de Néron, et, en secondes noces, veuve de l'empereur Claudius* ».

Ces deux personnages incarnent le pouvoir politique de l'Empire romain : Néron représente le pouvoir présent, et

Agrippine le pouvoir ancien ; la longueur de la didascalie concernant Agrippine évoque d'emblée une situation complexe et une source potentielle de conflit.

Le second couple se forme sur une relation amoureuse : Britannicus, « *fils de l'empereur Claudius* », Junie, « *amante de Britannicus* ».

Ce couple s'inscrit également dans une double perspective, ici, politique et passionnelle : politique, avec la périphrase « *fils de l'empereur Claudius* », qui signale au lecteur une anomalie, une dépossession, puisque ce personnage n'est pas l'empereur du moment ; Britannicus étant le personnage éponyme de l'œuvre, on peut s'attendre à ce que cette caractéristique soit prise en compte ; l'aspect passionnel est suggéré avec le terme « *amante* » qui caractérise Junie et désigne dans le vocabulaire classique celle qui aime et est aimée en retour. Or le genre tragique exige que l'amour soit impossible : ainsi, avant le début de la pièce, Racine signale un aspect majeur de l'œuvre.

Le dernier duo est composé de deux figures traditionnelles de la tragédie classique, les confidents ; ici, ils sont présentés dans leur dimension pédagogique et politique : Burrhus, « *gouverneur de Néron* », et Narcisse, « *gouverneur de Britannicus* ». Ces informations ne laissent pas supposer la place exacte que chacun d'eux prendra dans le processus tragique ; de ce point de vue, Racine ménage un effet dramatique puisque la pièce révélera Burrhus comme une possible figure du bien tandis que Narcisse, traître à son maître Britannicus, poussera Néron à laisser libre cours à ses penchants monstrueux.

Tous ces personnages appartiennent et renvoient à un temps historique trouble et souvent violent, celui de l'Empire romain en 55 ap. J.-C., dont l'historien Tacite retrace les soubresauts dans ses *Annales*, auxquelles Racine se réfère d'une manière explicite dans les deux préfaces de *Britannicus*. Ainsi, la lecture de cette liste de personnages représente donc une sorte de « degré zéro » de la tragédie à venir et suggère un passé riche en tensions et en conflits qui trouveront leur résolution brutale et fatale dans les limites de l'espace et du temps tragiques.

Les principaux personnages
Néron

« Elle aime mon rival, je ne puis l'ignorer ;
   Mais je mettrai ma joie à le désespérer.
   Je me fais de sa peine une image charmante,
   Et je l'ai vu douter du cœur de son amante.
   Je la suis. Mon rival t'attend pour éclater.
   Par de nouveaux soupçons, va, cours le tourmenter ;
   Et tandis qu'à mes yeux on le pleure, on l'adore,
   Fais-lui payer bien cher un bonheur qu'il ignore. »

Acte II, scène 8 (v. 749-756).

Racine dépeint un empereur possédant tous les pouvoirs et qui, paradoxalement, éprouve les pires difficultés à se libérer du joug maternel que fait peser sur lui Agrippine — et en est conscient :

« Éloigné de ses yeux, j'ordonne, je menace,
   J'écoute vos conseils, j'ose les approuver ;
   Je m'excite contre elle, et tâche à la braver »

Acte II, scène 2 (v. 496-498).

Être trouble, dominé par des pulsions de violence, il libère sa férocité et mêle sentiment amoureux et sadisme : ainsi, devant le spectacle de Junie qu'il vient de faire enlever en pleine nuit :

« J'aimais jusqu'à ses pleurs que je faisais couler. »

Acte II, scène 2 (v. 402).

Fin stratège, il manie la duplicité et la cruauté et peut masquer sa véritable intention avant de la dévoiler avec jubilation comme dans sa réponse à Burrhus qui croit naïvement à une réconciliation avec Britannicus :

« J'embrasse mon rival, mais c'est pour l'étouffer. »

Acte IV, scène 3 (v. 1314).

Agrippine

« Le coupable Néron fuit en vain ma colère :
Tôt ou tard il faudra qu'il entende sa mère.
J'essaîrai tour à tour la force et la douceur ;
Ou moi-même, avec moi conduisant votre sœur,
J'irai semer partout ma crainte et ses alarmes,
Et ranger tous les cœurs du parti de ses larmes.
Adieu. J'assiégerai Néron de toutes parts. »

Acte III, scène 5 (v. 919-925).

Être autoritaire, maladivement assoiffé d'un pouvoir qui lui échappe de plus en plus, Agrippine entretient des rapports à autrui essentiellement sur le mode de l'injonction (l'impératif revient en permanence dans ses discours), du conflit et de la peur. Avec son fils Néron, mère possessive et exclusive, ce comportement prend un tour exacerbé qui nourrit le processus tragique :

« Quoi ! tu ne vois donc pas jusqu'où l'on me ravale,
Albine ? C'est à moi qu'on donne une rivale.
Bientôt, si je ne romps ce funeste lien,
Ma place est occupée, et je ne suis plus rien. »

Acte III, scène 4 (v. 879-882).

« Je le craindrais bientôt, s'il ne me craignait plus. »

Acte I, scène 1 (v. 74).

Personnage déséquilibré, son manque de clairvoyance précipite sa chute, et, dans l'instant qui précède le dénouement tragique, à Junie inquiète du comportement de Néron, elle exprime encore sa vision idéale de son rapport au monde :

« Il suffit. J'ai parlé, tout a changé de face. »

Acte V, scène 3 (v. 1583).

Britannicus

Spolié, révolté et impuissant, Britannicus souffre d'avoir été dépossédé du pouvoir qui lui revenait légitimement ; il considère Néron comme un usurpateur. Peu clairvoyant (il ne voit pas le double jeu de son gouverneur Narcisse), sa sincérité et son caractère impulsif (acte III, scène 5, il dévoile son complot à Agrippine en présence de Narcisse ; acte III, scène 8, il affronte maladroitement Néron) en font la victime désignée de la tragédie. Amant de Junie, il mêle confusément dans son affrontement avec Néron la rivalité amoureuse et la rivalité politique. Jusqu'au moment qui précède sa fin tragique il montre ses limites dans l'analyse en appliquant à Néron sa propre psychologie :

« Je crois qu'à mon exemple, impuissant à trahir,
  Il hait à cœur ouvert, ou cesse de haïr. »

Acte V, scène 1 (v. 1517-1518).

Junie

« Tout m'est suspect : je crains que tout ne soit séduit ;
  Je crains Néron ; je crains le malheur qui me suit. »

Acte V, scène 2 (v.1537-1538).

Amante de Britannicus, son enlèvement constitue le coup d'essai du tyran Néron et cristallise le conflit entre celui-ci et Britannicus ; elle représente un ordre ancien auquel elle reste fidèle : ainsi, elle n'hésite pas à rappeler à Néron qu'en la personne de Britannicus c'est l'empereur légitime qu'elle aime :

« J'aime Britannicus. Je lui fus destinée
  Quand l'Empire devait suivre son hyménée. »

Acte II, scène 3 (v. 643-644).

Sa constance tranche dans l'instabilité de l'univers tragique ; par ailleurs, sa lucidité contraste avec l'aveuglement d'Agrippine et de Britannicus : à ce dernier, juste avant le dénouement fatal, qu'elle pressent malgré l'optimisme de son amant, elle délivre sa perception d'un monde où :

« Combien tout ce qu'on dit est loin de ce qu'on pense ! »

Acte V, scène 1 (v. 1523).

Burrhus

« Et ne suffit-il pas, Seigneur, à vos souhaits
Que le bonheur public soit un de vos bienfaits ?
C'est à vous à choisir, vous êtes encor maître.
Vertueux jusqu'ici, vous pouvez toujours l'être :
Le chemin est tracé, rien ne vous retient plus ;
Vous n'avez qu'à marcher de vertus en vertus. »

Acte IV, scène 3 (v. 1337-1341).

Avec ce personnage Racine propose une figure complexe réduite à l'impuissance politique par son intégrité morale : ainsi, il prend lucidement l'exacte mesure de la véritable nature de Néron (acte III, scène 2 : vers 800 à 806, et acte V, scène 7) mais le soutient sans réserve face aux attaques d'Agrippine :

« L'empereur n'a rien fait qu'on ne puisse excuser. »

Acte III, scène 3 (v. 822).

Narcisse

« La fortune t'appelle une seconde fois,
Narcisse, voudrais-tu résister à sa voix ?
Suivons jusques au bout ses ordres favorables ;
Et pour nous rendre heureux, perdons les misérables. »

Acte II, scène 8 (v. 757-760).

Gouverneur de Britannicus, il est en fait le conseiller secret de Néron. Par la finesse de son analyse psychologique il entraîne Néron vers son mauvais penchant et l'aide à s'affranchir de l'emprise d'Agrippine :

« N'êtes-vous pas, Seigneur, votre maître et le sien ?
  Vous verrons-nous toujours trembler sous sa tutelle ? »

Acte II, scène 2 (v. 490-491).

Sa vision cynique et machiavélique de la politique contribue à la naissance du tyran Néron :

« D'un empoisonnement vous craignez la noirceur ?
  Faites périr le frère, abandonnez la sœur :
  Rome, sur ses autels prodiguant les victimes,
  Fussent-ils innocents, leur trouvera des crimes ; »

Acte IV, scène 4 (v. 1449-1452).

Britannicus ou la tragédie du pouvoir

En 1669, la France vit sous la monarchie absolue de Louis XIV ; son pouvoir, célébré par de nombreuses fêtes, est à son apogée et oriente dans le domaine théâtral le goût du public aristocratique vers l'expression et l'analyse des sentiments plutôt que vers l'exaltation des rêves et des actions héroïques (le déclin du théâtre cornélien l'atteste). Ainsi, en choisissant l'accession au pouvoir de Néron, Racine peint surtout les aspects passionnels et les exigences intimes et contradictoires ; d'ailleurs pour éviter tout rapprochement malencontreux avec son époque, le dramaturge précise dans sa première préface qu'il ne s'agit pas de représenter « *les affaires du dehors. Néron est ici dans son particulier.* » Cette précaution prise, Racine met malgré tout en scène les jeux et les enjeux liés à la quête du pouvoir et montre que celle-ci anime l'action tragique surtout lorsque la nature du pouvoir est tyrannique. Ainsi, à travers *Britannicus*, Racine propose le spectacle, qu'il veut édifiant, d'une nature humaine plongée sans cesse au cœur d'une lutte entre le bien et le mal.

Jeux et enjeux du pouvoir

En choisissant trois personnages historiques issus de la même famille (voir tableau généalogique p. 202), Racine donne bien un aspect privé à un épisode de la Rome impériale. Outre le resserrement de l'action dramatique, cette réduction au microcosme familial met en évidence la confusion des intérêts privés et des enjeux politiques comme le rappelle le parallélisme établi par Agrippine (v. 1136-1137) et concentre la violence des luttes (v. 1317), élément de l'atmosphère tragique.

En proposant la tragédie comme « *une action simple* » soutenue « *par les intérêts, les sentiments et les passions des* personnages » (première préface), Racine rappelle son souci de représenter les ressorts psychologiques d'un mouvement lié à la quête du pouvoir : ainsi, à l'interrogation inquiète de Burrhus : « *Et qui de ce dessein vous inspire l'envie ?* » (vers 1323), Néron répond : « *Ma gloire, mon amour, ma sûreté, ma vie* » (v. 1324) révélant par l'accumulation et l'anaphore du possessif un moi exclusif où l'autre n'a pas de place. Cette dynamique tragique du pouvoir est également animée par une instabilité chronique des intérêts, des alliances, des conflits : ainsi Britannicus incarne un pouvoir spolié qui tente de se rétablir (v. 321-322) ; Agrippine, figure d'un pouvoir ancien mais encore présent, lutte pour éviter sa « *disgrâce* », y compris par un retournement d'alliance au profit de Britannicus (v. 851-852) ; enfin, Néron, par sa duplicité, ses revirement successifs (acte IV), inscrit son règne dans une temporalité où rien n'est jamais acquis.

Un autre phénomène contribue à cet univers instable et nourrit la tension dramatique et tragique, c'est la dépossession : en effet, prendre le pouvoir, c'est en priver quelqu'un d'autre. Ici, Racine met en scène deux dépossessions majeures, prises à des moments différents : celle de Britannicus s'achève lorsque la pièce commence, avec le rapt de Junie qui confirme son impuissance politique et qu'il évoque dès qu'il prend la parole : « *Tout ce que j'ai perdu, Madame, est en ces lieux.* » (v. 290) ; dès lors l'intrigue viendra confirmer la fatalité qui pèse sur le personnage, sa condition tragique, et dont il ne peut s'affranchir ; la dépossession d'Agrippine s'accomplit pendant la tragédie mais le dramaturge la suggère dès la première scène par une didascalie (Agrippine apparaît « *sans suite et sans escorte* ») et un constat énoncé par Burrhus à propos de Néron : « *Ce n'est plus votre fils, c'est le maître du monde.* » (v. 180). Par cet alexandrin la situation est exposée : le tour négatif du premier hémistiche marque une double perte, celle du pouvoir filial et du pouvoir politique, tandis que le second hémistiche affirme la réalité d'un nouveau pouvoir.

Le pouvoir tyrannique

Dans l'univers tragique, la vie est donc conçue comme un rapport de forces permanent et les règles dramatiques, qui concentrent l'action en une journée dans l'espace symbolique de la puissance tyrannique — « *une chambre du palais de Néron* » —, accentuent l'atmosphère de violence de la pièce ; la densité des réseaux lexicaux de la crainte, de la cruauté et de la mort construit un monde régi et soumis à des forces négatives. Ainsi, Burrhus rappelle à Néron la logique de violence dans laquelle il s'installe : « *Craint de tout l'univers, il vous faudra tout craindre.* » (v. 1352), et Agrippine, figure de la tyrannie et de ses excès (v. 850-854), lors de son ultime affrontement avec Néron après la mort de Britannicus, décrit l'aboutissement du processus tyrannique qui est une logique de mort (v. 1689-1690). Même l'amour subit cette violence et apparaît profondément perverti chez Néron dont le sentiment amoureux naît de la souffrance qu'il impose à Junie (v. 402).

Mais plus que la tyrannie elle-même, Racine suggère que c'est son usage inconsidéré qui mérite d'être condamné ; s'inspirant des théories de Machiavel (celui-ci admet un bon usage de la tyrannie si elle « s'exerce seulement une fois, par nécessité de sa sûreté, et puis ne continue point, mais bien se convertit en profit des sujets le plus qu'on peut. » *Le Prince*), le dramaturge évoque cette possibilité au début de l'œuvre à travers les propos d'Albine (v. 29-30) et charge Burrhus de défendre cette position auprès de Néron (v. 1351-1352) ; mais cette conception du pouvoir ne résiste pas à celle prônée par Narcisse selon laquelle la contrainte et la crainte sont les instruments du pouvoir (v. 1441-1442). C'est cette mauvaise tyrannie, c'est-à-dire celle « qui du commencement, encore qu'elle soit bien petite, croît avec le temps plutôt qu'elle ne s'abaisse. » (Machiavel, *Le Prince*), que le personnage d'Agrippine annonce au début de la pièce et redoute :

> « *Il commence, il est vrai, par où finit Auguste ;*
> *Mais crains que, l'avenir détruisant le passé,*
> *Il ne finisse ainsi qu'Auguste a commencé.* »

Acte I, scène 1 (v. 32-34).

Ainsi, la tragédie du pouvoir dans *Britannicus* correspond à la représentation de cet affrontement entre deux conceptions incarnées par Burrhus et Narcisse et aux hésitations de Néron pour opérer son choix définitif.

La vision racinienne

Mais au-delà de ce choix politique, *Britannicus* traduit une vision pessimiste et janséniste de la condition humaine sur laquelle pèse une fatalité et qui ôte à l'individu la maîtrise de son destin : ainsi, en devenant tyran, Néron s'inscrit dans une filiation criminelle transmise par sa mère, Agrippine ; cette malédiction familiale suggère l'idée d'un péché originel définitivement attaché au personnage, quoi qu'il fasse.

La tragédie du pouvoir dans *Britannicus* représente donc des êtres profondément déchirés par les passions, la volonté de puissance, et qui, contrairement aux héros cornéliens (dans *Cinna*, 1642, Corneille montre la transformation d'un tyran, Auguste, en personnage héroïque préférant la grandeur de la clémence au cycle répression-rébellion), ne se transcendent pas au nom d'un intérêt supérieur et restent tragiquement aliénés : c'est le cas du tyran Néron qui, au dénouement, son forfait accompli, « *marche sans dessein* ».

Correspondances

Les expressions du pouvoir tragique
- Corneille, *Le Cid*, acte I, scène 5, 1637.
- Racine, *Britannicus*, acte III, scène 8, 1669.
- Racine, *Phèdre*, acte IV, scène 2, 1677.
- Musset, *Lorenzaccio*, acte III, scène 3, 1834.
- Camus, *Caligula*, acte IV, scène 14, 1944.

Langage et pouvoir
- Corneille, *Horace*, acte IV, scène 6, 1640.
- Racine, *Britannicus*, acte IV, 1669.
- Racine, *Iphigénie*, acte IV, scène 3, 1674.
- Jarry, *Ubu roi*, acte III, scène 2, 1896.
- Giraudoux, *Électre,* acte II, scène 8, 1937.

Néron : « *un monstre naissant* »

En choisissant Néron, Racine s'inscrit dans l'esthétique de la tragédie classique qui impose un sujet historique ou mythologique mais ne le réduit pas à l'archétype du tyran retenu par les *Annales* de Tacite (voir p. 26-33) : il construit la figure complexe d'un être, objet de multiples influences, à l'instant critique où il bascule dans la monstruosité après de nombreuses hésitations, signes d'une conception aristotélicienne du héros tragique.

Un personnage sous influence

Dans *Britannicus*, comme dans la plupart des tragédies de Racine, le héros tragique nourrit la fatalité qui pèse sur lui avec ses propres passions, mais l'extérieur intervient aussi. Ici, quatre réseaux d'influences « travaillent » Néron et jouent un rôle déterminant dans son évolution.

1er **réseau** : l'hérédité tragique de Néron rappelée dès la première scène par Agrippine en évoquant l'appartenance à une filiation criminelle : du côté paternel, « *les fiers Domitius* » à « *l'humeur triste et sauvage* » ; du côté maternel « *la fierté des Nérons* » et Caligula le frère d'Agrippine que celle-ci présente d'une façon prémonitoire comme une première version de Néron (v. 40-42).

2e **réseau** : les conditions mouvementées qui ont conduit Néron au pouvoir : la mort de Silanus, frère de Junie, pour permettre à Néron d'épouser Octavie ; la mort suspecte de Claude et l'éloignement de Britannicus (acte IV, scène 2). Racine rappelle ainsi un contexte historique violent où le pouvoir se fonde sur la mort.

3e **réseau** : celui-ci, tissé par l'impérieuse figure d'Agrippine, est vécu par Néron comme une aliénation insupportable dont il cherche à se libérer à tout prix. Dans la scène d'exposition, Albine rappelle l'importance de sa maîtresse et la nature filiale, morale et politique (v. 15-16) de l'ascendant qu'elle exerce sur son fils. Ce réseau accroît la tension dramatique et tragique dans la mesure où Racine dote

Néron d'une extrême lucidité sur le rôle inhibiteur de sa mère (v. 506-508).

4e réseau : avec les deux gouverneurs, Burrhus et Narcisse. Racine représente sur scène la complexité et l'intensité des influences subies par Néron : Burrhus, figure du bien, incarne un pouvoir ancien en perte d'influence (v. 801-802) que Néron conteste (acte I, scène 1) ; Narcisse, figure du mal, exerce un pouvoir occulte mais efficient, et aide Néron à écarter les barrières qui le retiennent encore (v. 481-482, v. 492). Désigné rapidement au spectateur comme un traître et un cynique (acte II, scène 1), c'est son influence qui l'emportera et donnera naissance au « *monstre* ».

Un être de pulsions

Si de multiples aliénations subies par Néron sont externes, d'autres, internes et plus complexes, provoquent les différentes pulsions psychologiques et agissent comme des ressorts fondamentaux (v. 55-56) : ainsi « *haine* » et « *amour* » d'une part, et « *plaisir* » et « *nuire* » d'autre part, forment les couples antithétiques sur lesquels se bâtit la personnalité de Néron ; cette peinture psychologique brossée par Racine prend sa dimension tragique dans la mesure où le personnage détient un pouvoir politique absolu qui lui permet d'assouvir ses pulsions. Racine explore précisément l'ordre violent de ces pulsions pour représenter la naissance du « *monstre* ». Les pulsions sadiques sont représentées dans la scène de rupture forcée à laquelle il assiste en voyeur ; face à l'échec de son stratagème, il avoue à Narcisse sa motivation profonde vis-à-vis de Britannicus : « *Mais je mettrai ma joie à le désespérer.* » (v. 750). Les pulsions d'instabilité agitent en permanence Néron et s'expriment par des contradictions et des revirements successifs qui nourrissent la progression dramatique et l'intensité tragique de l'acte IV. Les pulsions perverses construisent la duplicité et l'hypocrisie du personnage : ainsi lorsqu'il révèle à Burrhus son intention de tuer Britannicus, la situation mêle étroitement aveu et provocation. C'est avec cet ensemble pulsionnel que Racine construit un personnage en crise, prêt à animer le ressort tragique.

Naissance du monstre

En effet, lorsque débute la pièce, la chaîne des réactions psychologiques qui détermine Néron est entrée dans une phase critique : l'enlèvement de Junie, hors du temps tragique de l'œuvre, vaut comme un indice d'une métamorphose en cours. Dès sa première réplique, Agrippine prévient le spectateur de la gravité de cette transformation :

« *L'impatient Néron cesse de se contraindre ;*
Las de se faire aimer, il veut se faire craindre. »

Acte I, scène 1 (v. 11-12).

Ces deux vers annoncent le processus tragique à venir : l'épithète « *impatient* » suggère l'imminence du changement tandis que l'antithèse du second vers indique sa nature et son importance.

Après cet acte fondateur de la nouvelle personnalité de Néron, différentes étapes vont confirmer et amplifier la nature tragique du personnage ; on peut en retenir au moins quatre : **1.** la rupture de la sujétion à Agrippine dont Burrhus fait le constat dès l'acte d'exposition (v. 180) ; **2.** la découverte du désir amoureux (v. 382) ; **3.** la perversion, nourrie par Narcisse, de ce désir en comportement sadique et tyrannique : « *Heureux ou malheureux, il suffit qu'on me craigne.* » (acte III, scène 8, v. 1056) ; **4.** les actes du tyran (arrestation de Britannicus et d'Agrippine, mort de Britannicus) qui marquent la naissance du monstre rapportée par Burrhus disgracié (v. 1711-1712).

Une figure aristotélicienne

Dès sa première préface, Racine s'explique sur sa conception du personnage de Néron : « *Je l'ai toujours regardé comme un monstre. Mais c'est ici un monstre naissant. Il n'a pas encore* mis le feu à Rome. Il n'a pas tué sa mère, sa femme, ses gouverneurs. » Ce choix de l'instant critique où la personnalité de Néron bascule vers le monstrueux correspond au souci de Racine de créer une tension dramatique extrême qui fait de la tragédie un jour fatal mais aussi d'explorer et de représenter, conformément au modèle aristotélicien où le héros tragique oscille un temps entre le bien et le mal, la complexité psychologique d'un personnage (voir sur cette conception la préface d'*Andromaque*).

Peignant les hommes « *tels qu'ils sont* » comme le souligne La Bruyère (*Caractères*, I, 54), Racine donne avec Néron une figure inquiétante mais qui s'accorde bien avec l'ambition aristotélicienne de la catharsis du théâtre tragique « *qui, suscitant pitié et crainte, opère la purgation propre à pareilles émotions* » *(Poétique).*

Correspondances

La figure du roi au théâtre
- Sophocle, *Œdipe roi*, vers 420 av. J.-C.
- Shakespeare, *Hamlet*, 1601.
- Corneille, *Cinna*, 1642.
- Hugo, *Hernani*, 1830.
- Claudel, *Tête d'or*, 1894.
- Montherlant, *La Reine morte*, 1942.

La passion destructrice (au XVIIe et au XVIIIe siècle)
- Racine, *Britannicus*, 1669.
- Racine, *Phèdre*, 1667.
- Mme de La Fayette, *La Princesse de Clèves*, 1678.
- Prévost, *Manon Lescaut*, 1731.
- Laclos, *Les Liaisons dangereuses*, 1782.

Tirade et monologue
- Molière, *Le Tartuffe*, acte III, scène 3 (v. 966-1000), 1664.
- Racine, *Britannicus*, acte I, scène 1 (v. 31-58), 1669.
- Musset, *Lorenzaccio*, acte III, scène 3, tirade finale, 1834.
- Giraudoux, *Électre*, acte I, scène 8, 1937.
- Sartre, *Les Mouches*, acte I, scène 2, 1943.

Le rôle du confident dans *Britannicus*

Si les personnages secondaires, dont font partie les confidents, sont nombreux dans le théâtre de la première moitié du XVIIe siècle, ils se raréfient par la suite lorsque s'impose l'idéal de rigueur et de simplicité dans le genre dramatique. Dans ces conditions, leur présence prend alors une valeur toute particulière : c'est le cas dans *Britannicus* avec Burrhus et Narcisse qui, par leurs conceptions morales et politiques, forment un couple antithétique dont les positions durant le processus tragique signalent l'évolution de Néron ; ainsi, l'émergence du tyran marquera la victoire de Narcisse.

La figure du confident

Le genre tragique représente des personnages de haut rang dont l'expression de la puissance suppose une nombreuse suite (conforme à la réalité de la cour royale) et qu'incarne (outre la présence des gardes) de manière symbolique le confident. Ainsi, Agrippine apparaît avec sa confidente Albine (acte I, scène 1), Britannicus avec son gouverneur Narcisse (acte I, scène 3) et enfin Néron avec son gouverneur Burrhus (acte II, scène 1).

Seule de ces trois figures, Albine demeure un personnage secondaire avec une fonction purement dramatique en permettant l'exposition initiale (acte I, scène 1), en évitant des monologues à Agrippine (acte III, scène 4), et en assurant dans la dernière scène le dénouement complet par son récit qui informe le spectateur du sort de Junie, de Narcisse et de Néron.

Burrhus et Narcisse remplissent également des fonctions qui leur confèrent un statut classique de confident :
– une fonction d'éducation (v. 175-176, pour Burrhus ; vers 343 pour Narcisse) ;
– une fonction spécifique de confident, c'est-à-dire dramatique, qui permet au héros d'exprimer ses états d'âme et d'informer le spectateur ;
– une fonction de témoin : Burrhus et Narcisse sont présents dans tous les actes mais ne prennent la parole que dans sept des treize scènes où ils apparaissent ;

– une fonction de délégué, en représentant un pouvoir dont ils exécutent les ordres (par exemple aux v. 129-130 pour Burrhus et au v. 349 pour Narcisse).

Des personnages à part entière

Comme pour les personnages principaux, Racine puise dans les *Annales* de Tacite les figures de Burrhus et de Narcisse (voir p. 26-33), et, au-delà des écarts historiques, sur lesquels il s'explique dans ses préfaces, il construit un couple qui possède son propre passé inscrit dans la même histoire que les héros tragiques : ainsi, Agrippine rappelle le rôle joué par Burrhus dans l'arrivée de Néron au pouvoir (v. 1185-1186), et le gouverneur s'inquiète de l'échec de son projet (v. 801-802) ; quant à Narcisse, il évoque lui-même sa propre action (v. 1445-1446) et envisage même son avenir (v. 757-758).

Ainsi, avec Burrhus, confronté à un double conflit (avec Néron et avec Agrippine), et Narcisse, dont le double signale l'autonomie et l'initiative, Racine présente deux personnages incarnant l'alternative manichéenne devant laquelle balance un instant Néron.

Un choix manichéen et politique

L'action tragique dans *Britannicus* représente précisément ce moment où Néron hésite devant ces deux possibilités qui s'offrent à lui : celle du bien, de l'intégrité défendue par son gouverneur officiel Burrhus ; celle du mal, de la perversité, soutenue par son confident secret Narcisse (traître à Britannicus). Ces deux personnages symbolisent la contradiction vécue par le « *monstre naissant* » : les nombreux tours interrogatifs du discours de Néron dans les deux scènes décisives avec les gouverneurs (acte IV, scènes 3 et 4) traduisent bien ce conflit intérieur entre Burrhus qui propose « *de marcher de vertus en vertus* » et Narcisse qui suggère à Néron de laisser libre cours à ses pulsions criminelles (v. 1435) et flatte son moi tyrannique (v. 458).

Néron étant empereur, ce débat moral pose aussi le problème

du modèle politique : d'un côté celui de Burrhus qui « *prône le bonheur public* » et l'équité ; de l'autre, celui de Narcisse, fondé sur un machiavélisme nourri de violence et de mort (v. 1440-1454). Mais l'ambivalence du pouvoir politique ne semble pas aussi tranchée qu'il y paraît ; ainsi, le rapport au pouvoir de Burrhus est parfois ambigu : il peut soutenir avec force les actions de Néron (v. 822) ou s'inquiéter davantage de sa perte d'influence (acte III, scène 2) que de la mort de Britannicus (v. 1708).

On le voit, Burrhus et Narcisse sortent du rôle habituel du confident, limité à une simple fonction dramatique, et incarnent en fait deux versants de la personnalité de Néron ; véritables expansions dramatiques de celui-ci, ils signalent la profondeur de l'exploration psychologique proposée par Racine.

Correspondances

Maîtres et serviteurs

- Molière, *Dom Juan*, acte I, scène 2, 1665.
- Racine, *Britannicus*, acte IV, scènes 3 et 4, 1669.
- Rousseau, *Les Confessions*, livre I, 1782.
- Beaumarchais, *Le Mariage de Figaro*, acte V, scène 3, 1784.
- Genet, *Les Bonnes*, 1947.

La notion de vertu

- Bossuet, *Sermon du mauvais riche*, 1662.
- Racine, *Britannicus*, acte IV, scène 3, 1669.
- Montesquieu, *Lettres persanes*, lettre XIV, 1721.
- Montesquieu, *De l'esprit des lois*, IV, 4, 1748.
- Condorcet, *Esquisse d'un tableau historique des progrès de l'esprit humain*, 1793.

—1—

« **Sganarelle :** Vertu de ma vie, comme vous débitez ! Il semble que vous avez appris cela par cœur, et vous parlez tout comme un livre.

Dom Juan : Qu'as-tu à dire là-dessus ?

Sganarelle : Ma foi ! j'ai à dire…, je ne sais ; car vous tournez les choses d'une manière, qu'il semble que vous avez raison ; et cependant il est vrai que vous ne l'avez pas. J'avais les plus belles pensées du monde, et vos discours m'ont brouillé tout cela. Laissez faire : une autre fois je mettrai mes raisonnements par écrit, pour disputer avec vous.

Dom Juan : Tu feras bien.

Sganarelle : Mais, Monsieur, cela serait-il de la permission que vous m'avez donnée, si je vous disais que je suis tant soit peu scandalisé de la vie que vous menez ?

Dom Juan : Comment ? quelle vie est-ce que je mène ?

Sganarelle : Fort bonne. Mais, par exemple, de vous voir tous les mois vous marier comme vous faites…

Dom Juan : Y a-t-il rien de plus agréable ?

Sganarelle : Il est vrai, je conçois que cela est fort agréable et fort divertissant, et je m'en accommoderais assez, moi, s'il n'y avait point de mal ; mais, Monsieur, se jouer ainsi d'un mystère sacré, et…

Dom Juan : Va, va, c'est une affaire entre le Ciel et moi, et nous la démêlerons bien ensemble, sans que tu t'en mettes en peine.

Sganarelle : Ma foi ! Monsieur, j'ai toujours ouï dire que c'est une méchante raillerie que de se railler du Ciel, et que les libertins ne font jamais une bonne fin.

Dom Juan : Holà ! maître sot, vous savez que je vous ai dit que je n'aime pas les faiseurs de remontrances.

Sganarelle : Je ne parle pas aussi à vous, Dieu m'en garde. Vous savez ce que vous faites, vous ; et si vous ne croyez rien, vous avez vos raisons ; mais il y a de certains petits impertinents dans le monde, qui sont libertins sans savoir pourquoi, qui font les esprits forts, parce qu'ils croient que cela leur sied bien ; et si j'avais un maître comme cela, je lui dirais fort nettement, le regardant en face : "Osez-vous bien ainsi vous jouer au Ciel, et ne tremblez-vous point de vous moquer comme vous faites des choses les plus saintes ?

C'est bien à vous, petit ver de terre, petit mirmidon que vous êtes (je parle au maître que j'ai dit), c'est bien à vous de vouloir vous mêler de tourner en raillerie ce que tous les hommes révèrent ? Pensez-vous que pour être de qualité, pour avoir une perruque blonde et bien frisée, des plumes à votre chapeau, un habit bien doré, et des rubans couleur de feu (ce n'est pas à vous que je parle, c'est à l'autre), pensez-vous, dis-je, que vous en soyez plus habile homme, que tout vous soit permis et qu'on n'ose vous dire vos vérités ? Apprenez de moi, qui suis votre valet, que le Ciel punit tôt ou tard les impies, qu'une méchante vie amène une méchante mort et que…"

Dom Juan : Paix !

Sganarelle : De quoi est-il question ?

Dom Juan : Il est question de te dire qu'une beauté me tient au cœur, et qu'entraîné par ses appas, je l'ai suivie jusques en cette ville.

Sganarelle : Et n'y craignez-vous rien, Monsieur, de la mort de ce commandeur que vous tuâtes il y a six mois ?

Dom Juan : Et pourquoi craindre ? Ne l'ai-je pas bien tué ?

Sganarelle : Fort bien, le mieux du monde, et il aurait tort de se plaindre. »

Dom Juan, acte I, scène 2.

—2—

« Parce que vous êtes un grand seigneur, vous vous croyez un grand génie…! Noblesse, fortune, un rang, des places, tout cela rend si fier ! Qu'avez-vous fait pour tant de biens ? Vous vous êtes donné la peine de naître, et rien de plus. Du reste, homme assez ordinaire ; tandis que moi, morbleu ! perdu dans la foule obscure, il m'a fallu déployer plus de science et de calculs, pour subsister seulement, qu'on n'en a mis depuis cent ans à gouverner toutes les Espagnes : et vous voulez jouter… On vient… c'est elle… ce n'est personne – La nuit est noire en diable, et me voilà faisant le sot métier de mari, quoique je ne le sois qu'à moitié ! *(Il s'assied sur un banc.)* Est-il rien de plus bizarre que ma destinée ? Fils de je ne sais pas qui, volé par des bandits, élevé dans leurs mœurs, je m'en dégoûte et veux courir une carrière honnête ; et partout je suis repoussé ! J'apprends la chimie, la pharmacie, la chirurgie, et tout le crédit d'un grand seigneur peut à peine me mettre à la main une lancette vétérinaire ! – Las d'attrister des bêtes malades, et pour faire un métier contraire, je me jette à corps perdu dans le théâtre : me fussé-je mis une pierre au cou ! Je broche une comédie dans les mœurs du sérail. Auteur espagnol, je crois pouvoir y fronder Mahomet sans scrupules : à l'instant un envoyé... de je ne sais où se plaint que j'offense dans mes vers la Sublime-Porte, la Perse, une partie de la presqu'île de l'Inde, toute l'Égypte, les royaumes de Barca, de Tripoli, de Tunis, d'Alger et de Maroc : et voilà ma comédie flambée, pour plaire aux princes mahométans, dont pas un, je crois, ne sait lire, et qui nous meurtrissent l'omoplate, en nous disant : « chiens de chrétiens ». – Ne pouvant avilir l'esprit, on se venge en le maltraitant. – Mes joues creusaient, mon terme était échu : je voyais de loin arriver l'affreux recors, la plume fichée dans sa perruque : en frémissant je m'évertue. Il s'élève une question sur la nature des richesses ; et, comme il n'est pas nécessaire de tenir les choses pour en raisonner, n'ayant pas un sol, j'écris sur la valeur de l'argent et sur son produit net : sitôt je vois du fond d'un fiacre baisser pour moi le pont d'un château fort, à l'entrée duquel je laissai l'espérance et la liberté. *(Il se lève.)* Que je voudrais bien tenir un de ces puissants de quatre jours, si légers sur le mal qu'ils ordonnent, quand une bonne disgrâce a cuvé son orgueil ! Je lui dirais... que les sottises imprimées n'ont d'importance qu'aux lieux où l'on en gêne le cours ; que, sans la liberté de blâmer, il n'est point d'éloge flatteur ; et qu'il n'y a que les petits hommes qui redoutent les petits écrits. »

Le Mariage de Figaro, acte V, scène 3.

Principales mises en scène

La première représentation de *Britannicus* eut lieu à Paris le 13 décembre 1669 sur le théâtre de l'Hôtel de Bourgogne. Le rôle-titre était tenu par Brécourt, Floridor interprétait Néron ; la Des Œillets, Agrippine ; la Dennebault, Junie ; Hauteroche, Narcisse ; Lafleur, Burrhus ; mais aucune indication sur la mise en scène. En fait, à cette époque et jusqu'à la fin du XIXᵉ siècle, le metteur en scène n'existe pas, chaque comédien déclame son texte et se conforme la plupart du temps à l'orientation donnée par le comédien qui interprète le rôle principal.

C'est à partir du XXᵉ siècle, et plus précisément après la Première Guerre mondiale, que le metteur en scène survient et donne de l'œuvre dramatique sa « lecture », servie par les comédiens. En ce qui concerne *Britannicus*, la Comédie-Française donne en 1961 une mise en scène de Michel Vitold où l'expression pathétique des conflits domine autour du violent contraste établi entre le comportement hystérique de Néron, joué par Robert Hirsch, et l'austère froideur d'Agrippine, interprétée par Annie Ducaux. Après 1968, les metteurs en scène imposeront une vision problématisée et contemporaine de *Britannicus* (mise en scène de Daniel Mesguisch en 1975) en n'hésitant pas à transposer l'action au XXᵉ siècle comme dans la mise en scène de Jean-Pierre Miquel à la Comédie-Française (1978) avec Francis Huster (Britannicus) en victime expiatoire et Ludmila Mikaël (Junie) en jeune femme émancipée.

En 1981, Gildas Bourdet propose au théâtre de l'Odéon une perspective intéressante en plaçant *Britannicus* dans son époque de création avec des comédiens en costumes du XVIIᵉ siècle. La même année, au théâtre national de Chaillot, Antoine Vitez met en scène un *Britannicus* d'une grande sobriété, sans effet de costumes et de décors, où seuls dominent les accents tragiques du texte. Enfin, en 1992, Alain Françon monte au théâtre des Amandiers, à Nanterre, une mise en scène avec un décor imposant et des costumes chatoyants qui contrastent avec l'austérité du jeu des comédiens.

Jugements critiques

La promptitude (six semaines) avec laquelle Racine publia la première préface après la représentation de *Britannicus* et la virulente polémique qui accompagnera celle-ci donnent une idée de la réception de l'œuvre qui fit l'objet d'une cabale montée par les partisans de Corneille. L'attitude hautaine et intransigeante de Racine, dont Boursault, écrivain de l'époque, prétendait qu'il « *ne menaçait pas moins que de mort violente tous ceux qui se mêlent d'écrire pour le théâtre* » (voir ci-dessous), et son succès à la cour devaient, sans nul doute, susciter bien des inimitiés.

Une critique partisane

Au début d'une nouvelle, *Artémise et Poliante*, publiée en juillet 1670, Boursault, partisan de Corneille, rend compte de la première représentation de *Britannicus* et de l'accueil qui lui fut réservé.

« Des connaisseurs, auprès de qui j'étais *incognito*, et de qui j'écoutais les sentiments, en trouvèrent les vers fort épurés. Mais Agrippine leur parut fière sans sujet, Burrhus vertueux sans dessein, Britannicus amoureux sans jugement, Narcisse lâche sans prétexte, Junie constante sans fermeté, et Néron cruel sans malice. D'autres, qui pour les trente sous qu'ils avaient donnés à la porte crurent avoir la permission de dire ce qu'ils en pensaient, trouvèrent la nouveauté de la catastrophe si étonnante, et furent si touchés de voir Junie, après l'empoisonnement de Britannicus, s'aller rendre religieuse de l'ordre de Vesta, qu'ils auraient nommé cet ouvrage une tragédie chrétienne, si on ne les eût assurés que Vesta ne l'était pas.

Le premier acte promet quelque chose de fort beau, et le second même ne le dément pas ; mais au troisième, il semble que l'auteur se soit lassé de travailler ; et le quatrième, qui contient une partie de l'histoire romaine, et qui, par conséquent, n'apprend rien qu'on ne puisse voir dans *Florus* et dans *Coëffeteau*, ne laisserait pas de faire oublier qu'on s'est ennuyé au précédent, si dans le cinquième la façon dont Britannicus est empoisonné, et celle dont Junie se rend vestale, ne faisaient pitié. »

Boursault, *Artémise et Poliante*, 1670.

Voltaire : le point de vue d'un auteur tragique

Plus connu pour ses contes philosophiques et ses engagements, Voltaire fut aussi un auteur tragique à succès (*Œdipe*, 1718 ; *Zaïre*, 1730).

« Cette estimable pièce était tombée parce qu'elle avait paru un peu froide […]. Ce n'est qu'avec le temps que les connaisseurs firent revenir le public. On vit que cette pièce était la peinture fidèle de la cour de Néron. On admira enfin toute l'énergie de Tacite exprimée dans des vers dignes de Virgile. On comprit que Britannicus et Junie ne devaient pas avoir un autre caractère. On démêla dans Agrippine des beautés vraies, et qui ne surprennent point le parterre par des déclarations ampoulées. Le développement du caractère de Néron fut enfin regardé comme un chef-d'œuvre. On convint que le rôle de Burrhus est admirable d'un bout à l'autre, et qu'il n'y a rien de ce genre dans toute l'Antiquité. *Britannicus* fut la pièce des connaisseurs, qui conviennent des défauts, et qui apprécient les beautés. »

Voltaire, *Commentaires sur Corneille*, 1764.

Victor Hugo : le point de vue d'un romantique

Proclamant la liberté dans l'art, Hugo déplore les contraintes formelles de la bienséance qui empêchent la représentation de scènes spectaculaires.

« Si Racine n'eût pas été paralysé comme il l'était par les préjugés de son siècle, s'il eût été moins souvent touché par la torpille classique, il n'eût point manqué de jeter Locuste dans son drame, entre Narcisse et

Néron, et surtout n'eût pas relégué dans les coulisses cette admirable scène du banquet, où l'élève de Sénèque empoisonne Britannicus dans la coupe de la réconciliation. »

V. Hugo, préface de *Cromwell*, 1827.

Paul Bénichou : la cabale, suite et fin ?

Ce critique compare Racine et Corneille pour établir, selon lui, la supériorité du théâtre cornélien.

« Mais on sent bien en quoi Agrippine diffère d'une ambitieuse cornélienne. L'orgueil est chez elle comme une expansion soudaine, déréglée, insultante du moi qui s'accompagne de plus de souffrances que de satisfaction ; c'est un endroit douloureux du cœur :

"Que dis-je ? l'on m'évite, et déjà délaissée…
Ah ! je ne puis, Albine, en souffrir la pensée."

Cet orgueil ne s'exprime jamais en "maximes" glorieuses ; il éclate en démarches imprudentes, en menaces inconsidérées ; il traîne après lui le malheur et la mauvaise conscience. Néron, aussi avide de domination que sa mère, perd aussi vite son assurance devant elle – il l'avoue lui-même – qu'elle perd son sang-froid devant le danger, de sorte que leur combat, tout en impulsions et en mouvements instinctifs, a plutôt l'allure d'une crise passionnelle que d'une lutte d'ambitions selon la formule cornélienne. […]
Mais l'évocation de la Rome républicaine est devenue bien pâle dans *Britannicus* ; la vertu romaine est un souvenir, et non plus un ressort de l'action, et la tirade où Burrhus décrit à Néron le monarque idéal qu'il pourrait être ressemble plus à une supplique désespérée qu'aux ombrageuses remontrances qu'on trouve en pareil cas chez Corneille. »

P. Bénichou, *Morales du Grand Siècle*, Gallimard, 1948.

Antoine Adam : *Britannicus*, un univers de contrastes

Pour ce critique littéraire, la peinture du sentiment amoureux atténue la violence du monde tragique de Racine.

« Un monde cruel, peuplé d'êtres passionnés et faibles, entraînés par les fatalités de leur sang [...]. L'impression serait intolérable si Racine n'avait mis tant de délicatesse à peindre son couple de jeunes amoureux, Britannicus et surtout Junie. »

A. Adam, *Histoire de la littérature au XVIIe siècle*, Domat, 1952.

Philippe Butler : un héros tragique sans illusions

Pour Butler le tragique racinien marque précisément la fin de l'univers héroïque que le théâtre de Corneille représentait.

« La carence de l'idéal baroque se joue sous nos yeux : la destruction du vieux rêve chevaleresque et la désillusion du héros sont un élément du tragique racinien.

L'acuité de cette désillusion et le désarroi qu'elle entraîne expliquent aussi la violence de la réaction. Lorsque Néron essaye d'expliquer à Junie que c'est lui qu'elle doit épouser parce qu'il est l'empereur, il n'est pas *ipso facto* un naïf et un brutal. Il ne fait que répéter les paroles d'innombrables prétendants, comme le César de Corneille, ou l'Alexandre de Racine. En échange de la beauté et de l'amour, il offre le plus grand des dons, une couronne. Sa colère devant le refus de Junie n'est pas seulement le dépit d'un amant repoussé, c'est aussi la stupeur indignée que provoque un phénomène inouï et déroutant. C'est Junie qui, comme Andromaque, ne joue pas le jeu. Ainsi la désillusion du héros, celle de Pyrrhus, ou de Néron, celle même de Roxane ou de Mithridate, apparaît comme le point de départ du drame, le catalyseur indispensable de la situation. Elle abolit tout un univers conventionnel, dans lequel certains problèmes classiques comportent certaines solutions prévues, comme les réponses d'un catéchisme. Elle ouvre un monde où ne règne aucun précédent, où l'arbitraire fait loi, en ce sens que chaque personnage est forcé d'être original et de trouver ses propres réponses, de ne compter que sur lui-même et de n'être que soi. C'est la vitalité même de la convention baroque qui permet à Racine d'en faire le puissant tremplin grâce auquel il catapulte ses personnages dans le ciel tragique. »

P. Butler,
Classicisme et baroque dans l'œuvre de Racine, Nizet, 1959.

Lucien Goldmann : la présence de l'absent

L'analyse structuraliste et sociologique de Lucien Goldmann met en évidence la structure tragique comme reflet de la pensée janséniste.

« Le schème de *Britannicus* est le même que celui d'*Andromaque* : la tragédie sans péripétie ni reconnaissance avec le monde comme personnage central, seulement cette fois la tragédie est rigoureuse, le conflit radical. Sur scène, deux personnages : au centre, le monde composé de fauves – Néron et Agrippine –, de fourbes – Narcisse –, de gens qui ne veulent pas voir et comprendre la réalité, qui tentent désespérément de tout arranger par des illusions semi-conscientes – Burrhus –, de victimes pures, passives, sans aucune force intellectuelle ou morale – Britannicus. À la périphérie, Junie, le personnage tragique, dressé contre le monde et repoussant jusqu'à la pensée du moindre compromis. Enfin, le troisième personnage de toute tragédie, absent et pourtant plus réel que tous les autres : Dieu. »

L. Goldmann, *Le Dieu caché*, Gallimard, 1956.

Roland Barthes : « l'homme racinien »

Le critique littéraire s'attache à saisir les caractéristiques du langage racinien indépendamment des influences extérieures comme le contexte historique ou les données biographiques.

« Néron est l'homme de l'alternative ; deux voies s'ouvrent devant lui : se faire aimer ou se faire craindre, le Bien ou le Mal. Le dilemme saisit Néron dans son entier : son temps (veut-il accepter ou rejeter son passé ?) et son espace (aura-t-il "un particulier" opposé à sa vie publique ?). On voit que la journée tragique est ici véritablement active : elle va séparer le Bien du Mal, elle a la solennité d'une expérience chimique – ou d'un acte démiurgique : l'ombre va se distinguer de la lumière ; comme un colorant tout d'un coup empourpre ou assombrit la substance-témoin qu'il touche, dans Néron, le mal va se fixer. Et plus encore que sa direction, c'est ce revirement même qui est ici important : *Britannicus* est la représentation d'un acte, non d'un effet. L'accent est mis sur un "faire" véritable : Néron se fait, *Britannicus* est une naissance. Sans doute c'est la naissance d'un monstre ; mais ce monstre va vivre et c'est peut-être pour vivre qu'il se fait monstre.

L'alternative de Néron est pure, c'est-à-dire que ses termes en sont symétriques. Deux figures la dessinent, forment comme la postulation de Néron. Burrhus et Narcisse sont des homologues. Comme conseiller vertueux, l'Histoire suggérait plutôt Sénèque. Racine a craint que l'intellectuel ne s'opposât pas suffisamment au cynique, il lui a substitué un militaire qui ne sait pas parler ; pour emporter la décision de Néron, Burrhus doit renoncer au langage, se jeter aux pieds de son maître, menacer de se tuer ; à Narcisse, il suffit de parler ; naturellement, pour être efficace, sa parole se fait indirecte ; la parole de Burrhus est topique, c'est pourquoi elle échoue ; celle de Narcisse est dialectique. [...] »

R. Barthes, Sur Racine, Le Seuil, 1963.

Jean-Pierre Miquel : le point de vue d'un metteur en scène

J.-P. Miquel a monté *Britannicus* à la Comédie-Française en 1978 (voir p. 190).

« Enfin, je tiens que *Britannicus* n'est pas une tragédie, la place de la transcendance et du destin incontrôlable étant nulle ; par contre, les éléments contingents y jouent un très grand rôle. Si ce n'est pas une tragédie, dans l'optique du XVIIe siècle, c'est un drame politique.

Car où est la passion dans *Britannicus* ? En dehors de la passion politique, de la passion du pouvoir, je n'en vois sincèrement pas. L'amour de Néron pour Junie ? Faux et impossible dans le déroulement dramatique. C'est une stratégie.

L'amour de Junie et de Britannicus ? Probable et même certain, mais né d'une alliance à caractère politique – l'amour est venu après, pour conforter un projet commun : la reconquête du pouvoir. »

J.-P. Miquel, Sur la tragédie, Actes Sud, 1988.

Alain Viala : le dépassement de la cabale

En comparant *Cinna* et *Britannicus*, le critique analyse la tragédie racinienne comme une sorte de retour au réel et d'abandon de l'idéal héroïque.

« *Britannicus* est un "contre-*Cinna*". Dans *Cinna*, Corneille montrait un empereur, Octave, rebaptisé Auguste, qui ayant pris le pouvoir par un coup d'État sanguinaire devient ensuite un empereur parfait. Tout le contraire de Domitius rebaptisé Néron. [...] Tout finit bien dans *Cinna* : l'empereur menacé d'un complot (par des gens qui ont, héroïne rebelle comprise, plus de droits au pouvoir que lui : c'est bien le symétrique) pardonne et crée le consensus. Tout finit mal dans *Britannicus* : Néron, d'abord bon empereur, tourne au tyran comploteur, qui fait en douce empoisonner son rival, héritier légitime, qui, demain, tuera sa mère, ses ministres, détruira Rome tout entière.

Cinna était tenu pour l'exemple type de la tragédie dans sa forme la plus élevée, politique, romaine, prestigieuse, où le choc des passions et des grands intérêts était poussé au paroxysme. *Britannicus* porte, dans son texte même, les indices de son entreprise : rivaliser avec Corneille sur son propre terrain. En faisant aussi bien et mieux dans la virtuosité formelle ; en affichant autant et plus de références culturelles ; et en inversant le résultat esthétique : au lieu d'un aboutissement positif, où la passion cède devant la "gloire" dévouée à l'État, l'État et ses pouvoirs sont asservis aux pulsions. »

A. Viala, *Racine, la stratégie du caméléon*, Seghers, 1990.

Boileau, un théoricien
de l'art classique

En 1674, Nicolas Boileau, qui deviendra quatre ans plus tard historiographe du roi avec son ami Racine, publie un ouvrage didactique, *L'Art poétique*, qui propose une réflexion et un bilan sur l'art littéraire : il s'inscrit dans une tradition qui remonte à la *Poétique* d'Aristote et à *L'Art poétique* d'Horace. Il y expose notamment une réflexion complète sur l'art tragique.

« Il n'est point de serpent, ni de monstre odieux,
Qui, par l'art imité, ne puisse plaire aux yeux :
D'un pinceau délicat l'artifice agréable
Du plus affreux objet fait un objet agréable.
Ainsi pour nous charmer, la Tragédie en pleurs
D'Œdipe tout sanglant fit parler les douleurs,
D'Oreste parricide exprima les alarmes,
Et, pour nous divertir, nous arracha des larmes.
Vous donc qui, d'un beau feu pour le théâtre épris,
Venez en vers pompeux y disputer le prix,
Voulez-vous sur la scène étaler des ouvrages
Où tout Paris en foule apporte ses suffrages,
Et qui, toujours plus beaux, plus ils sont regardés,
Soient au bout de vingt ans encor redemandés ?
Que dans tous vos discours la passion émue
Aille chercher le cœur, l'échauffe et le remue.
Si d'un beau mouvement l'agréable fureur
Souvent ne vous remplit d'une douce terreur,
Ou n'excite en notre âme une pitié charmante,
En vain vous étalez une scène savante :
Vos froids raisonnements ne feront qu'attiédir
Un spectateur toujours paresseux d'applaudir,
Et qui, des vains efforts de votre rhétorique

Justement fatigué, s'endort ou vous critique.
Le secret est d'abord de plaire et de toucher :
Inventez des ressorts qui puissent m'attacher.
Que dès les premiers vers l'action préparée
Sans peine du sujet aplanisse l'entrée.
Je me ris d'un acteur qui, lent à s'exprimer,
De ce qu'il veut d'abord ne sait pas m'informer,
Et qui, débrouillant mal une pénible intrigue,
D'un divertissement me fait une fatigue.
J'aimerais mieux encor qu'il déclinât son nom
Et dît : « Je suis Oreste, ou bien Agamemnon »,
Que d'aller, par un tas de confuses merveilles,
Sans rien dire à l'esprit, étourdir les oreilles :
Le sujet n'est jamais assez tôt expliqué.
Que le lieu de la scène y soit fixe et marqué.
Un rimeur, sans péril, delà les Pyrénées,
Sur la scène en un jour renferme des années :
Là souvent le héros d'un spectacle grossier,
Enfant au premier acte, est barbon au dernier.
Mais nous, que la raison à ses règles engage,
Nous voulons qu'avec art l'action se ménage ;
Qu'en un lieu, qu'en un jour, un seul fait accompli
Tienne jusqu'à la fin le théâtre rempli.
Jamais au spectateur n'offrez rien d'incroyable :
Le vrai peut quelquefois n'être pas vraisemblable.
Une merveille absurde est pour moi sans appas :
L'esprit n'est point ému de ce qu'il ne croit pas.
Ce qu'on ne doit point voir, qu'un récit nous l'expose :
Les yeux en le voyant saisiraient mieux la chose ;
Mais il est des objets que l'art judicieux
Doit offrir à l'oreille et reculer des yeux.
Que le trouble, toujours croissant de scène en scène ;
À son comble arrivé se débrouille sans peine.
L'esprit ne se sent point plus vivement frappé
Que lorsqu'en un sujet d'intrigue enveloppé
D'un secret tout à coup la vérité connue
Change tout, donne à tout une face imprévue. »

Boileau, L'Art poétique, chant III, vers 1 à 60.

Britannicus, tragédie de la tyrannie

Racine précise dans sa première préface qu'il présente Néron « *dans son particulier et dans sa famille* ». Les luttes pour le pouvoir qu'il peint sont provoquées par une soif de puissance et des passions personnelles ; il n'y est pas question de raison d'État. La naissance du « *monstre* » ne correspond qu'à une expansion violente du « *moi* » où l'intérêt collectif pèse peu. Dès lors, la nécessité de la tyrannie comme système politique devient problématique : en voici une justification par Nicolas Machiavel (1469-1527) qui pensait qu'en politique la morale commune était inadaptée et que ruse et violence pouvaient être employées dès lors qu'elles servaient l'intérêt recherché.

« On pourrait s'interroger d'où procédait qu'Agathocle *(tyran de Syracuse, au IIIᵉ siècle avant J.-C.)* et autres semblables, après d'infinies trahisons et cruautés, purent vivre longtemps en sûreté dans leur pays et se défendre des ennemis extérieurs, sans que leurs concitoyens conspirassent contre eux ; vu que plusieurs autres n'ont jamais pu se maintenir en leurs États même en temps de paix, sans parler du temps troublé de la guerre. Je crois que cela vient de la cruauté bien ou mal employée. On peut appeler bonne cette cruauté (si l'on peut dire y avoir du bien au mal), laquelle s'exerce seulement une fois, par nécessité de sa sûreté, et puis ne se continue point, mais bien se convertit en profit des sujets le plus qu'on peut. La mauvaise est celle qui du commencement, encore qu'elle soit bien petite, croît avec le temps plutôt qu'elle ne s'abaisse. Ceux qui useront de la première sorte de cruauté peuvent avec l'aide de Dieu et des hommes trouver quelque remède favorable, comme eut Agathocle. Quant aux autres, il est impossible qu'ils se maintiennent. D'où il faut noter qu'en prenant un pays, celui qui l'occupe doit songer à toutes les cruautés qu'il lui est besoin de faire et toutes les pratiquer d'un coup pour n'y retourner point tous les jours et pouvoir, ne les renouvelant pas, rassurer les hommes, et les gagner à soi par bienfaits. Qui se gouvernera autrement ou par crainte ou par mauvais calcul, il sera contraint de tenir toujours le couteau en la main, et ne se pourra jamais bien fonder sur ses sujets, eux ne se pouvant, pour ses continuelles et fraîches injures, confier en lui. »

N. Machiavel,
Le Prince, VIII, « bibliothèque de la Pléiade », Gallimard, 1958.

La tyrannie, un engrenage fatal

Dans *L'Esprit des lois* (1748), Montesquieu (1689-1755) n'établit pas cette distinction entre bonne et mauvaise tyrannie ; pour lui un pouvoir fondé sur la violence et la peur ne peut perdurer qu'en maintenant continuellement son oppression.

« Comme il faut de la vertu dans une république, et dans une monarchie, de l'honneur, il faut de la crainte dans un gouvernement despotique : pour la vertu, elle n'y est point nécessaire, et l'honneur y serait dangereux. Le pouvoir immense du prince y passe tout entier à ceux à qui il le confie. Des gens capables de s'estimer beaucoup eux-mêmes seraient en état d'y faire des révolutions. Il faut donc que la crainte y abatte tous les courages, et y éteigne jusqu'au moindre sentiment d'ambition. Un gouvernement modéré peut, tant qu'il veut, et sans péril, relâcher ses ressorts. Il se maintient par ses lois et par sa force même. Mais lorsque, dans le gouvernement despotique, le prince cesse un moment de lever le bras ; quand il ne peut pas anéantir à l'instant ceux qui ont les premières places, tout est perdu […]. »

Montesquieu, *L'Esprit des lois*, III, 9, 1748.

La tyrannie, la loi du plus fort

Diderot (1713-1784), auteur de l'article « **Autorité politique** » de l'*Encyclopédie* (1751), confirme ce point de vue, conteste la tyrannie et ramène l'exercice de celle-ci à un simple rapport de forces.

« Aucun homme n'a reçu de la nature le droit de commander aux autres. La liberté est un présent du Ciel, et chaque individu de la même espèce a le droit d'en jouir aussitôt qu'il jouit de la raison. […] La puissance qui s'acquiert par la violence n'est qu'une usurpation et ne dure qu'autant que la force de celui qui commande l'emporte sur celle de ceux qui obéissent ; en sorte que, si ces derniers deviennent à leur tour les plus forts et qu'ils secouent le joug, ils le font avec autant de droit et de justice que l'autre qui le leur avait imposé. La même loi qui a fait l'autorité la défait alors ; c'est la loi du plus fort. »

D. Diderot, *Encyclopédie*, article « Autorité politique », 1751.

La généalo[g

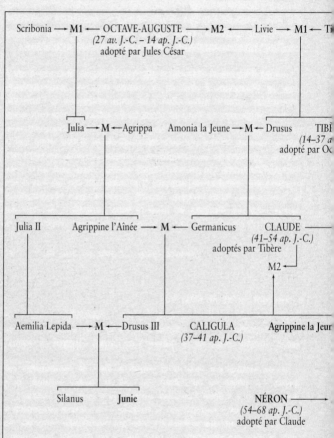

Scribonia → **M1** ← OCTAVE-AUGUSTE → **M2** ← Livie → **M1** ← Ti
(27 av. J.-C. – 14 ap. J.-C.)
adopté par Jules César

Julia → **M** ← Agrippa   Amonia la Jeune → **M** ← Drusus   TIBÌ
(14–37 a
adopté par Oc

Julia II   Agrippine l'Aînée → **M** ← Germanicus   CLAUDE
(41–54 ap. J.-C.)
adoptés par Tibère

M2 ←

Aemilia Lepida → **M** ← Drusus III   CALIGULA   **Agrippine la Jeu**
(37–41 ap. J.-C.)

Silanus   **Junie**   NÉRON
(54–68 ap. J.-C.)
adopté par Claude

Les empereurs sont cités en lettres capitales avec les dates de leur règne entre parenthè
Les personnages de la pièce sont en caractères gras.
M : mariage. **M1** : premier mariage. **M2** : deuxième mariage.

io-Claudiens

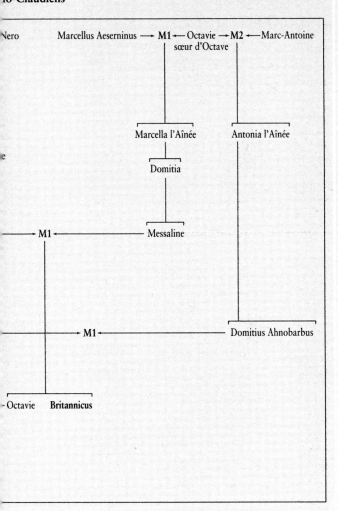

Compléments notionnels

Accumulation
Succession de mots pour mettre en valeur une idée (vers 853).

Alexandrin
Vers de douze syllabes, nommé ainsi par un théoricien du XVᵉ siècle, parce qu'il apparaît pour la première fois au XIIᵉ siècle, dans le *Roman d'Alexandre*. L'alexandrin classique est souvent composé de deux hémistiches séparés par une coupure (césure) au milieu du vers.

Allégorie
Personnification d'une réalité abstraite (vers 200-201).

Allitération
Reprise d'un même son consonantique (vers 1266).

Anaphore
Figure d'insistance qui consiste à répéter le même mot ou la même formule en début de vers ou en tête de plusieurs membres de phrase (vers 1472-1476).

Antiphrase
Tour ironique qui consiste à dire le contraire de ce que l'on pense, tout en étant fort bien compris (vers 1673).

Antithèse
Figure d'opposition qui rapproche deux pensées ou deux expressions contraires pour provoquer un effet de contraste (vers 88).

Aristotélicien
Caractérise le système développé par le philosophe grec Aristote (384-322 av. J.-C.) dans son ouvrage théorique *Poétique* qui définit les principales règles du genre tragique : « *La tragédie est l'imitation d'une action de caractère élevé et complète, d'une certaine étendue, dans un langage relevé d'assaisonnements d'une espèce particulière suivant les diverses parties, imitation qui est faite par des personnages en action et non au moyen d'un récit, et qui, suscitant pitié et crainte, opère la purgation propre à pareilles émotions.* »

Catharsis
Ce terme grec évoque l'effet purificateur que la représentation tragique est censée produire sur le spectateur (voir *Aristotélicien*).

Chiasme
Cette figure d'opposition signale une forte contradiction par une

reprise, en ordre inverse, des mêmes éléments syntaxiques ou lexicaux (vers 90).

Didascalie

Indication de jeu ou de décor fournie par l'auteur (avant le vers 1115).

Diérèse

Consiste à prononcer deux voyelles consécutives en deux syllabes pour respecter la mesure de l'alexandrin (vers 18).

Enjambement

Poursuite d'une phrase dans le vers suivant, ce qui atténue la pause à la rime (vers 1271-1272).

Hyperbole

Figure d'exagération pour mettre en valeur une idée (vers 1317).

Hypotypose

Restitution vivante et expressive d'un moment important (vers 385-398).

Jansénisme

Doctrine philosophique et religieuse de Cornelius Jansen, dit Jansénius, évêque d'Ypres (1585-1638), qui fit son apparition en France vers 1640 dans un livre posthume, l'*Augustinus*. Le jansénisme met en doute le libre arbitre de l'homme, le salut étant accordé arbitrairement par Dieu, sans qu'intervienne le mérite de l'homme. Les religieuses du monastère de Port-Royal-des-Champs et des intellectuels chrétiens adoptèrent cette doctrine. Elle influença l'œuvre de Racine.

Lamento

Expression pathétique d'une souffrance morale (vers 1258-1286).

Lyrique

Caractérise le ton d'un discours exalté où un « je » exprime avec intensité ses sentiments intimes ; le rythme, la musicalité de l'alexandrin et la présence de nombreuses images contribuent à transmettre les émotions intenses du personnage (vers 1547-1561).

Métaphore

Figure de substitution qui permet par comparaison implicite ou analogie d'employer un terme à la place d'un autre et de créer ainsi une image inattendue (vers 71).

Métonymie

Figure de substitution qui consiste à remplacer un mot par un autre terme qui lui est étroitement lié par un rapport logique (contenu-contenant ; cause-effet ; matière-objet : exemple, « *le fer* » pour l'épée, vers 1395).

Oxymore

Alliance de mots qui associe deux termes antithétiques pour souligner d'une manière poétique une forte contradiction (vers 189).

Pathétique

Caractérise le ton exalté par lequel s'expriment les sentiments et les souffrances d'un personnage (vers 1672-1694).

Péripétie

Événement imprévu qui modifie la situation morale ou matérielle des personnages. Elle permet la progression dramatique (les revirements de Néron dans l'acte IV sont des péripéties).

Périphrase

Substitution à un mot d'une expression de même sens (vers 845).

Rejet

Renvoi d'un mot, pour le mettre en valeur, au début du vers suivant bien qu'il soit attaché à la syntaxe du vers précédent (vers 1026-1027).

Schéma actantiel

Définit les personnages comme des forces agissantes, des *actants*, ayant une fonction précise dans le déroulement de l'intrigue : *le sujet*, héros de l'histoire, entreprend une action pour obtenir *un objet* (un personnage, un sentiment, un pouvoir) ; il est aidé par *un adjuvant* et gêné par *un opposant* (personnages, sentiments, objets, forces divines, etc.) ; *le destinateur* commande l'action du sujet et *le destinataire* est le « bénéficiaire » de l'action.

Stichomythie

Dialogue où l'on se répond vers à vers lors d'un affrontement et qui suggère ainsi la violence du conflit (vers 1051-1057).

Édition

• *Racine, Œuvres complètes*, édition présentée et annotée par R. Picard, « bibliothèque de la Pléiade », Gallimard, 1950.

Ouvrages généraux sur le XVIIᵉ siècle et sur le théâtre

XVIIᵉ siècle

• P. Bénichou, *Morales du Grand Siècle*, Gallimard, 1948.
• J. Rohou, *Histoire de la littérature française du XVIIᵉ siècle*, Nathan, 1989.

Théâtre

• J. Scherer, *La Dramaturgie classique en France*, Éd. Nizet, 1950.
• J. Truchet, *La Tragédie classique en France*, PUF, 1975.

Racine

• R. Barthes, *Sur Racine*, Le Seuil, 1963.
• Ph. Butler, *Classicisme et baroque dans l'œuvre de Racine*, Éd. Nizet, 1959.
• L. Goldmann, *Le Dieu caché*, Gallimard, 1956.
• A. Niderst, *Racine et la tragédie classique*, collection « Que sais-je ? », 1978.
• R. Picard, *La Carrière de Jean Racine*, Gallimard, 1956.
• J. Rohou, *L'Évolution du tragique racinien*, SEDES, 1990.
• J.-J. Roubine, *Lectures de Racine*, Éd. A. Colin, 1971.

Britannicus
- *Racine*, « *Britannicus* », commentaires et notes d'A. Viala, Le Livre de Poche.
- S. Doubrovsky, « L'Arrivée de Junie dans *Britannicus* », *Littérature 32*, décembre 1978.

Filmographie

- Deux films furent réalisés à l'époque du cinéma muet : en 1908, A. Calmette tourna un *Britannicus* avec deux comédiens de renom de l'époque, Mounet-Sully et Réjane ; en 1912, Camille de Morlhon tourna également un *Britannicus*.
- Deux films décrivent l'atmosphère de l'Empire romain sous le règne de Néron : *Néron*, d'A. Blasetti, 1930, et *Quo vadis ?*, de Mervyn LeRoy, 1951, représentation grandiose et hollywoodienne de Rome au temps de Néron et des persécutions contre les premiers chrétiens.

Discographie

- *Britannicus*, avec Jean Marais (Néron) et Marie Bell (Agrippine), enregistré le 6 février 1952 à la Comédie-Française, collection « Grands textes et grandes voix du théâtre ».
- *Britannicus*, mis en scène par Jean-Luc Boutté, 1989, Radio-France.

CRÉDIT PHOTO : p. 6, Ph. © Giraudon • p. 20, et reprise page 8, Ph. © Roger-Viollet. / T. • p. 27, Ph. © Gérard Blot. / RMN • p. 51, Ph. © Agence de presse Bernand. / T. • p. 87, Ph. © Agence de presse Bernand. / T. • p. 104, Ph. © Enguérand. / T. • p. 118, Ph. © Archives Larbor. / T. • p. 123, Ph. © Enguérand. / T. • p. 138, Ph. © Enguérand. / T. • p. 144, Ph. © Agence de presse Bernand. / T. • p. 154, Ph. © Enguérand. / T

Direction de la collection : Pascale MAGNI.
Direction artistique : Emmanuelle BRAINE-BONNAIRE.
Responsable de fabrication : Jean-Philippe DORE.

Compogravure : P.P.C. – Impression : MAME. N° 01042174. Dépôt légal 1ʳᵉ édition : août 1998. Dépôt légal : juin 2001. N° de projet : 10085886 (IV) 56.